KB123545

철학을 만나
오늘도
잘 살았습니다

불안한 존재를 위한
하이데거 생각의 기술

깊은 겨울밤
성난 눈보라가 오두막에 휘몰아치고,
세상 모두를 뒤덮는 때야말로
철학을 할 시간이다.

-

마르틴 하이데거

작가의 말

"너, 인생이 뭔지 아니? 그냥 목적지 없이 걷는 거야. 물론 걷다 보면 길을 잘못 들 수도 있고, 물가에 빠져 허우적댈 수도 있지. 하지만 계속 가다 보면 그곳에서 웃고 서 있는 너 자신을 발견하게 될 거야. 누가 아무리 네 다리를 걸어도 그냥 걷다 보면 목적지가 나와. 때론 너에게 달려들어 우는 사람들도 있을 거야. 그러면 덜컥 안아줘 봐. 그게 인생이야."

대학교 일학년 신입생 시절에 철학과 선배가 했던 말이다. "그냥 걷다 보면 안아 줄 사람이 있다고? 그냥 안아 주라고? 내 가슴 속에는 언제 터질지 모르는 시한폭탄이 있어. 그래서 잠도 오지 않고 안아 줄 수도 없어."라고 답하고 싶었지만, 선배의 철학적 조언에 감히 답변하지 못한 채 속으로만 삼켰던 기억이 있다. 이러한 선배의 화두는 살아오는 내내 마음을 지배해 왔고, 많은 시간이 흘렀지만 좀처럼 답을 찾아내지 못하고 있었다.

절대 보지 말아야 할 것
메두사를 보고야 말았기에
돌로 변한 수많은 전사들이여

그대들은 진리를 따랐고
불구덩이에 도사린 위험을
깊은 품속에 간직한 것이니
결코 슬퍼하지 마라

때론 미쳤다는 소리를
들을 수도 있겠지만
미쳤다는 것은 오히려
비밀의 문을 열었다는
증표이니

기꺼이 위험 가득한
비밀의 문을 열어보자

투쟁 없이
창조의 세계는
열릴 수 없는 것이니
맞설 땐 과감히 맞서보자.

그래도 시간은 잘만 흘러갔다. 결혼도 하고 직장에서도 나름대로 자리를 잡아가고 있었다. 그런데 2014년, 갑자기 모든 것이 혼란스러워졌다. 그동안 쌓아 놓았던 모든 것이 한순간에 무너져 내리는 느낌이었고, 무기력감으로 인해 불면증도 밀려들었다. 이대로 지내다 보면 진짜 주저앉을 것만 같았다. 그러던 어느 날 우연히 도서관에서 하이데거의 『존재와 시간』이라는 책을 보게 되었다. 특별한 생각 없이 그냥 궁금증에서 그 책을 읽어나갔는데, 웬걸 이건 거의 암호해독 수준이었다. 하지만 포기할 수 없었고, 그것이 계기가 되어 하이데거와 5년간 힘겨운 싸움을 시작했다. 그러면서 복잡했던 머릿속이 조금씩 정리가 되었고, 세상을 보는 조그마한 눈을 가지게 되었다.

　하이데거 철학을 개인적으로 정리해보면 '최선을 다하고, 초연한 기다림의 마음으로 살아가라'라는 것으로 요약할 수 있다. 하이데거에 의하면 우리는 스스로 원해서 태어난 것이 아니라, 자신의 의지와 상관없이 이 세상에 던져진 존재일 뿐이라는 것이다. 또한 살아가는 데 있어 정해진 규칙 따위도 없다고 강조한다. 그러면 어떻게 살아가야 할까? 답은 간단하다. 우선 주어진 모든 것에 감사하는 마음이 필요하다. 그리고 노력했던 모든 일이 이루어지지 않았다고 좌절할 필요도 없다. 단지, 감사한 마음과 초연한 기다림을 가지고 최선을 다하면 되는 것이다. 결과에 집착하는 삶을 살아가다 보면 가장 중요한 자신을 잃을 수도 있으니 말이다.

세상에 존재하는 흙과 먼지, 하늘과 바람, 산과 바다 심지어 우리가 사용하는 도구에 이르기까지 이유 없이 이 세상에 존재하는 것은 없다. 다만, 우리가 속도와 개발 만능의 시대를 정신없이 살아가다 보니 그 소중함을 모르고 있었던 것은 아닐까 하고 생각해 본다. 우리의 삶도 마찬가지다. 우리는 살아가면서 모든 것이 우리 뜻대로 되지 않는다고 한탄할 때가 많다. 하지만 어쨌든 살아내야 하는 것이 인생이다. 지금부터라도 이 세상에 오직 하나뿐인 내 존재의 소중함을 인정하자. 그리고 매사에 최선을 다해보자. 결과는 중요한 것이 아니니 '초연한 기다림'의 마음가짐을 다잡아 보자.

 이 책은 난수표 같은 하이데거를 어떻게 하면 독자들에게 쉽게
전달할 수 있을까, 하는 고민에서 시작되었다. 살다 보면 좌절할
때도, 권태감에 빠질 때도 있다. 이러한 상황을 극복하기 위해 하
이데거를 소환한 것이니, 한 번쯤은 하이데거 시각으로 우리네
삶을 재조명 해 보았으면 한다.

작가의 말 06

1부 생각할수록 슬퍼지는 것들

01 호기심이 사라졌다 16

02 나 아니면 안 된다는 생각들 22

03 나는 죽지 않을 줄 알았다 31

04 나는 내가 싫었다 37

2부 비틀린 삶의 흔적들

05 설리를 위한 변명 44

06 오만과 편견 51

07 우리라는 이름의 집단 최면 59

08 이방인의 나라 67

3부 내 가는 길은 공사 중

09 나는 단지 승객에 불과하였다 78

10 고향을 잃어버린 나그네 86

11 그녀는 달린다 94

12 부캐의 습격 107

4부 나는 혼자가 아니다

13 내가 머무는 곳은 어디인가? 118

14 내 삶은 내 것인가? 128

15 기술 시대를 살아가는 법 137

16 유발 하라리의 사자 인간 147

5부 지금, 여기가 중요하다

17 최선으로 되었다 160

18 지금이 중요하다 168

19 여기를 잊지 말자 176

20 나를 나답게 해 준 한 마디 182

부록 Epilogue

Ⅰ 현존재(現存在) 192

Ⅱ 세계(世界) 198

Ⅲ 세계(世界)에 대한 이해(理解) 204

Ⅳ 진리(眞理) 210

Ⅴ 사방세계(四坊世界) 216

1부 생각할수록 슬퍼지는 것들

01 호기심이 사라졌다
집 나간 호기심을 찾아라!

다시 폭풍 속으로 _ 은파

순수함을 잃어버린 시대에는
모든 것을 계산하려 하고
그 속에서 기쁨을 찾고자 하나
허무함만 남게 될 뿐

호기심을 까마득한 기억으로
남겨둔 사람들은
가장 소중한 것이 옆에 있어도
다른 곳만 헤매게 된다네

흉내 내는 것이 두려워
마음을 감추는 이들은
혼자일 수밖에 없고
짧은 이별만 슬퍼하다가
긴 이별을 맞이하게 되리라

돌처럼 굳은 마음을 깨트리자

거북등처럼 메말라 갈라진
가슴을 다시 폭풍 속으로.

'너는 어떻게 살고 있니~'로 시작하는 여행스케치의 노래에는 우리네 인생살이가 담겨 있어 즐겨 듣는 편이다. 가사 전체에 따뜻한 말들이 가득하지만, 내가 특히 좋아하는 구절은 '알 수 없는 내일이 있다는 건 설레는 일이야'라는 부분이다. 우리는 늘 두려움과 설렘을 겪으면서 살아간다. 하지만 설렜던 일보다 두려웠던 기억을 더 오래 간직하면서 사는 사람이 많은 것 같다. 나 또한 마찬가지였다.

그런데 최근 또다시 두려운 일이 생겨났다. 다름 아닌 호기심과 설렘의 실종사건이다. 이 둘은 서로 연결되어 있다. 설렘이 희미해지면 호기심도 사라져가니 말이다. 지금 생각해 보면 과거에는 설레는 일도, 호기심도 참 많았었다. 그러나 시간이 흐르면서 조금씩 줄어들더니, 요즘엔 설렘과 호기심이 머릿속에서 깊이 잠들어 있는지 좀처럼 그 얼굴을 보여주지 않는다. 어찌 보면 당연한 일이기도 하다. 세상을 오래 살다 보면 다양한 경험을 하게 되고, 그 속에서 자연스럽게 설레는 일과 호기심이 줄어들기 때문이다.

하지만 호기심이라는 관점을 하이데거의 시각에서 보면, 결코 두려워할 이유는 없다. 하이데거는 인간의 근본 기분에 따라 **호기심**과 **경이**를 구분한다. 그에 따르면 **경이**는 **어떤 대상을 신비롭게 바라보며 놀라움을 감추지 못하는 것**을 말하고, **호기심**은 **초조함과 흥분 속에서 남을 따라잡으려는 조급함**을 뜻한다. 다시 말해 호기심은 늘 남에게 뒤처질까 봐 초조해하고 말초적 신경을 극단으로 이끌어 줄 흥분을 좇는다는 것이다.

이를 쉽게 설명하면 다음과 같다. 경이라는 관점에서 보면 아침에 무사히 눈을 뜰 수 있다는 것, 하늘이 표현할 수 없을 정도로 짙푸르다는 것, 보도블록에 있는 개미자리 풀이 자세히 보면 너무도 아름답다는 것 등 세상 만물 모두가 어찌 보면 기적이라는 것이다. 반면 호기심이라는 존재 양식은 늘 남과 비교하면서, 내 삶이 아니라 남의 삶에 맞춰가려는 조바심에서 생겨난다.

따라서 우리가 흔히 호기심이라 부르는 관념을 경이 또는 놀라움이라는 시각으로 본다면, 나이가 들어간다고 해서 호기심이 줄어들지는 않을 것이다. 생각해 보면 지금 마주하는 모든 것 중 경이롭지 않은 것은 없다. 우선 우리 개개인만 하더라도 얼마나 경이로운가. 지구에 생명체가 나타난 것이 35억 년 전이라는 점은 차치하고, 현생 인류의 직계 조상이 나타난 시기만 따져도 10만 년 전이다. 그 10만 년 동안 얼마나 많은 일이 있었겠는가. 아마 어마어마한 자연재해와 전염병, 수많은 전쟁을 통해 셀 수 없이 많은 목숨이 사라져 갔을 것이다. 그런데 우리는 지금 현존하고 있으니 개인의 처지에서 보면 이것이 기적이 아니고 무엇이겠는가. 그러니 잘났거나 못났거나를 떠나서 지금 살아가는 모든 이들 하나하나가 경이 그 자체임은 당연하다.

또한, 경이라는 측면에서 보면 하루하루의 삶조차 놀라움의 연속일 것이다. 우리의 생이 언제 끝날지는 아무도 모른다. 지금 이 순간에도 전염병이나 전쟁으로 또는 교통사고 등 각종 사건으로 수많은 생명이 사라져 가고 있다. 아침에 어제와 변함없이 눈을 뜰 수 있다는 것, 뒷산에서 들려오는 새소리를 여전히 들을 수 있다는 것 모두가 경이가 아니면 무엇이겠는가. 이제부터라도 닫아 놓았던 모든 감각기관을 활짝 열어보자. 그러면 우리 주변에 경이롭지 않은 것은 없다.

물론 경이적 호기심에 근거한 사람보다는 조바심에 근거한 호기심으로 전전긍긍하는 사람이 많은 것이 현실이다. 그렇다면 집 나간 '경이적 관점에서의 호기심'을 어떻게 하면 되찾을 수 있을까? 답은 간단하다. 내 삶을 남과 비교하는 마음부터 버려야 한다. **나는 존재만으로 경이로우며, 지금 이 땅에 발을 딛고 있는 자체가 기적이라는 점을 인정해야 한다.** 이제는 조바심을 조금 내려놓고 나 자신부터 자연 하나하나까지 세심한 눈으로 지켜보자. 그러면 세포 구석까지 밀려드는 경이적 호기심을 느낄 수 있을 것이다. 행복은 이렇게 찾아온다. 조바심에 근거한 호기심만 버리면 행복은 의외로 가까운 곳에 있음을 알게 될 것이다.

02 나 아니면 안 된다는 생각들

불안증은 선물이자 축복이다

신경증神經症 _ 은파

알 듯 모를 듯
갑자기 조여 오는
정체불명의 힘에
온 정신이 어지럽다

불안이 엄습해 올 때마다
깊은 숨구멍 속으로 삼켜
잘도 소화시켜 왔는데
이번 것은 좀 다르다

이러다 질식하는 건 아닌지
예쁘게 살고 싶었는데
신경증이 가만두지 않는다

한때는 나를 위해 움직였던
모든 것들이 배반의 길로
가는 것은 아닌지 두렵다

언젠가는
온몸의 사지를 태워
강물에 던져야 할 때가 오겠지

누군가 수습해 따뜻한 양지에
묻어 줄지도 모르기에.

직장 생활 초기를 회상해보면 제2의 인생에 대한 희망과 기대도 컸지만, 그와 동시에 조직에 적응해 가면서 불안증이라는 독초도 마음속에서 자라나고 있었다. 여러 번의 인사이동 끝에 기획팀장을 맡은 적이 있었다. 전체 부서 업무를 조정하고, 회사가 나아갈 방향에 대한 기획을 총괄하는 자리였다. 자리의 중요성 때문에 잘하고 싶었다. 아니 반드시 잘 해내야만 했다.

그때만큼 정신없이 일했던 시기는 없었다. 큰 탈 없이 힘들었던 시간은 지나갔고, 1년 뒤에 승진도 했다. 나름대로 의미가 있는 시간이었지만, 나도 모르게 마음속에 자리 잡은 것이 있었으니, 그것은 다름 아닌 '불안증'이라는 감정이었다. 지금 생각해보니 그 당시에는 업무에 대한 욕심과 걱정 때문에 (주말의 경우 온종일 근무한 것은 아니었지만) 1년 동안 350일 이상을 출근했던 것으로 기억한다.

이뿐만이 아니었다. 퇴근해서도 밤 10시 이후에 언론 동향을 체크하고, 주요 일간지 인터넷 판을 훑으면서 대책을 마련하느라 밤잠을 설쳤던 시간이 지금도 생생하다. 주간 단위 업무 계획도

팀원들에게 맡기면 미덥지 못해 세세한 작성 방향까지 구체적으로 정해주느라 힘들었던 기억도 있다. 물론 월간 계획 수립도 마찬가지였다. 이렇게 마음속에 자리 잡은 불안증은 휴가 기간에도 여지없이 발동되었다. 여행 중에도 언론을 모니터링하기 일쑤였고, 주요 현안 자료를 필수품으로 챙겨가서 살피기도 하였다. 당시의 마음 상태를 한마디로 정리하면 '나 아니면 안 된다'였다. 그러니 얼마나 피곤했겠는가. 강박증까지는 아니더라도 이렇게 신경을 쓰니 살이 빠지지 않을 도리가 없었다. 두통이 자주 발생하여 일주일에 서너 차례는 두통약을 달고 살았고, 만성피로 증세도 껌딱지처럼 붙어 다녔다.

이런 경험을 하면서 '나 아니면 안 된다'라는 생각을 하는 사람의 특징을 나름대로 정리해 보았다. 개인적인 생각일 뿐 정답이 아님은 물론이다. 그것을 정리해 보면 다음과 같다. 늦은 밤까지 업무 관련 인터넷 기사를 서핑하며 다음 날을 걱정하는 사람, 휴가 중에도 업무가 걱정되어 사무실로 확인하는 사람, 저녁 회식 시간에 어떻게 즐길 것인지 하는 생각보다는 다음 날 출근 걱정을 하는 사람, 걱정이라는 단어를 입에 달고 다니는 사람, 카톡이

나 문자가 오면 즉시 확인해야 직성이 풀리는 사람, 모르는 번호로 부재중 전화가 찍혀 있을 때 먼저 전화해야 안심이 되는 사람, 자동차 기름이나 휴대폰 배터리를 가득 채워야만 마음이 편안한 사람. 이런 사람들은 불안 증세를 가졌거나 향후 불안증으로 발전할 가능성이 있다. 물론 이외에도 일일이 열거하기 힘들 정도로 사례는 많을 것이다.

　그렇다면 현실은 어떠한가? **내가 없으면 세상이 돌아가지 않을 것 같다는 생각은 큰 착각에 불과하다.** 내가 없어도 회사는 돌아가게 되어 있다. 조직이라는 곳은 어느 한 사람이 빠진다고 해서 문제가 생기지 않는다. 내가 없으면 다른 누군가가 그 자리를 채우면 되는 것이다. 자동차 기름이나 배터리가 방전되면 그 역시 채우면 될 일이다. 걱정하던 일은 시간이 지나고 보면 그냥 걱정으로 끝나는 경우가 대부분이다. 또한 불안증이라는 놈은 기대를 크게 가지고 있기 때문에 찾아오는 것이고, 한걸음 물러나서 생각하면 별것 아닌 경우가 대부분이다. 하지만 그것이 내 문제가 되면 상황은 전혀 엉뚱한 방향으로 흘러가서 끝없는 걱정이 쌓이게 된다. 참으로 해결하기 어려운 문제다. 그러면 불안증을 어떻게 보아야 할까? 하이데거는 **어떠한 기분에 젖어 있는 상태를 유정성**有情性이라고 표현한다. 불안증도 하이데거가 말하는 유정성의 일부분이 아닐까 싶은데, 이 글에서는 이런 전제하에 불안증을 살펴보고자 한다.

「**신경증**」**이라는 시**를 쓰기 전까지는 모든 일이 순조롭게 풀리고 있었다. 여름이었는데 휴가를 어디로 갈지, 어떤 형태의 숙소를 잡을 것인지, 휴가 중 필요한 물품은 언제까지 준비를 마칠 것인지 등을 생각하면서 들뜬 기분으로 지냈다. 하지만 한 통의 전화로 모든 것이 다 날아가 버렸다. 일이란 것이 그런가 보다. 하나가 풀리지 않으니 연달아서 생각지도 않았던 일들이 겹치기 시작했고, 나중에는 감당하기 어려울 정도로 일이 커지고 말았다. 이러한 상황에 놓이자 전에 생각했던 휴가 계획은 머릿속에서 떠나버려 이미 내 일이 아니었다. 그 대신 닥친 일에 대해 푸념이 쌓여갔다. 그리고 어떻게 일을 해결해야 할지 불안해하며 하나하나 풀어나갔던 기억이 지금도 생생하다. 문제가 터진 후부터 모든 것이 해결되기까지는 10여 일 정도 걸렸는데, 그 기간 온통 나를 지배했던 것은 불안증이었다. 일이 잘못되면 어떻게 해야 하나? 과연 내가 이 일을 잘 해결해나갈 수 있을까? 일이 잘 해결된 후에도 미리 대비하지 못했다고 질책이 뒤따르진 않을까? 하는 불안한 생각들이 꼬리에 꼬리를 물었다. 하지만 결국 일은 잘 해결되었고, 걱정했던 일들은 발생하지 않았다. 일이 마무리된 후 바로 휴가를 떠날 수 있었다.

불안증은 갑자기 습격(닥쳐오는 것)해오는 것이라고 하이데거는 말한다. 신경증神經症이라는 시를 바탕으로 생각해 보면 불안증이 어떻게 다가오는지 알 수 있다. 우리는 불안증에 대하여 흔히들 마음에서 주관적으로 나오는 것으로 생각한다. 하지만 하이데거는 불안증은 갑자기 피어오르는 것이라고 말한다. 즉 불안증은 '안'에서부터 오는 것도, '밖'에서부터 오는 것도 아니다. 다만 우리를 에워싸고 있는 사물이나 사람들과의 관계 속에 전적으로 달려있다고 할 수 있다.

갑작스러운 환경 변화에서 피어오르는 불안증은 어떤 한 가지 요인으로 인해 발생하는 것이 아니라 사회(하이데거에 의하면 '세계'라는 용어가 적합하겠지만, 여기서는 우리가 직관적으로 이해하기 쉬운 '사회'라는 용어를 대신 사용하겠다)에 대한 의존성에서 생겨난다는 것이 하이데거의 생각이다. 우리는 무인도에서 혼자 사는 것이 아니기 때문에 결국은 사회에 의존할 수밖에 없으며, 불안증은 한마디로 이러한 의존성에서 나온다는 것이다. 그러면 이러한 의존성은 끊어 낼 수 있는 것인가? 그렇지 않다. 우리가 사회 속에서 살아가는 한 이러한 의존성은 절대 끊어낼 수 없다.

그렇다면 불안증이 사람들에게 어떤 영향을 미칠 수 있는지를 생각해 보자. 앞에서도 말했듯이 사회에 대한 의존성은 내가 만든 것도 아니고, 남이 나에게 강제하는 것도 아니다. 다만 모든 인간은 사회에 의존하도록 태어났기 때문에 어찌 보면 의존성은 우리의 숙명이라고 할 수 있다. 그러나 불안증은 사회 속에서, 관계를 근거로 해서 발생하는 것이니 무조건 부정적으로 생각할 필요는 없다고 본다. **왜냐하면, 우리가 불안증을 지배할 수는 없지만, 그렇다고 해서 그것이 우리의 자유를 훼손하는 것도 아니기 때문이다.** 우리는 갑작스럽게 습격해오는 불안증 때문에 이를 극복하기 위한 시스템을 평소에 갖춰놓는다. 따라서 **불안증은 결코 부정적**

이기만 한 것이 아니라 문제를 해결해나가는 원동력이기도 하다.

 이런 관점에서 본다면 불안증은 극복해야 할 대상이 아니라 내면화해야 할 성질의 것이 된다. 그러니 이제는 불안증으로 인해 과도하게 걱정하지 않았으면 한다. 불안증은 신의 선물이자 축복이 될 수도 있다. 우리가 해야 할 일은 불안증을 적당한 선에서 잘 다스려 우리의 삶을 좀먹지 않도록 하면서, 이를 기회로 잘 활용하여 각종 문제를 해결해 나가는 것이다. 오늘부터라도 불안증을 평생 동반자로 삼고 남은 길을 뚜벅뚜벅 걸어가 보면 어떨까.

03 나는 죽지 않을 줄 알았다
죽음은 가장 확실한 가능성이다

죽음이 밀려온다 _ 은파

죽음은
늘 곁에서 잠자고 있다

가끔씩 깨워달라고
죽음은 쉼 없이 속삭여 왔건만
옆에서 자고 있는 것조차
잊은 지 오래

죽음을 생각지 않고 살아왔기에
다른 이들의 삶을 갉아먹었고
한때 명징했던 혈관 속에는
저주의 액체만이 가득 차올라
온 세상을 지독한 고통으로
전염시키고 말았다

죽음은 나를 비추는 거울
가끔은 그 거울에 직면해 보자
비록 반사된 얼굴이 꾸짖을지라도
거울과의 대화를 게을리하지 말자

죽음은 늘 열려있는 가능성
죽음이 밀려온다
나를 비추는 거울이 밀려온다.

비가 추적추적 내린다. 오늘은 이 빗줄기를 타고 한없이 올라가고 싶다. 비록 그 끝이 어디인지 모르지만, 무작정 오르고 싶은 날이다.

어린 시절, 세상 곳곳을 누비는 상상 여행을 떠나곤 했다. 마음속에서 상상의 나래를 펴다 보면 가지 못할 곳이 없었다. 어느 날인가는 미국에서 포틀랜드 등대Portland Head Light에 올라 지나가는 배들을 인도하였고, 다음 날에는 고비사막에서 유목민들과 함께 일몰을 즐기기도 하였다. 참으로 행복한 시절이었고, 지금도 가끔 그때의 기억들이 꿈에 나타나곤 한다. 이러한 꿈을 꾸던 시절에는 못할 것이 없었고, 그 시간도 영원할 줄 알았다.

중학교 때쯤으로 기억한다. 며칠간 몸에 열이 나고, 목이 아파서 종합감기약을 먹으며 버텼다. 몸살이겠지 하면서 학교를 계속 나갔는데, 하루는 갑자기 눈앞이 깜깜해지더니 정신을 잃고야 말았다. 깨어나 보니 집이었다. 어머니 말씀으로는 친구가 부축해서 집까지 왔단다. 나중에 몸살이 아니라 급성 편도염이었다는 것을 알게 되었고, 고열과 힘든 싸움을 하는 과정에서 너무도 힘이 들어 '이러다가 죽을 수도 있겠구나!' 하는 생각까지 들었다. 이런 일이 있기 전까지는 건강에 특별한 문제가 없었기 때문에 질병이나 죽음은 내 일이 아니라고 생각하며 살아왔다. 하지만 나도 병이 들고, 늙어 가면서 언젠가는 죽음에 이를 수밖에 없다는 슬프고도 평범한 진리를 새삼 알게 되었다. 그때부터 삶이란 무엇인지, 어떻게 사는 것이 바른 것인지 등에 대해 고민하며 살았다.

우리는 흔히 죽음은 남의 일이라고 생각하며 살아간다. 하지만 하이데거에 따르면 죽음은 우리 인간에게 있어 가장 독자적이고 확실한 가능성이라고 한다. 그래서 **하이데거는 '죽음에로의 선구先驅' 즉, '죽음에로의 미리 가봄'이 필요**하다고 본다.

혹자는 하이데거가 말하는 '죽음에로의 선구'가 왜 중요하냐고 물을 수도 있다. 하지만 죽음은 내일이라도 바로 닥칠 수 있는 가장 확실한 가능성이라는 점을 인식하면서 사는 사람과 죽음을 남의 일로 생각하면서 사는 사람의 삶의 방식에는 큰 차이가 있을 수밖에 없다. 하이데거에 따르면 우리 인간은 '본래적 삶'이나 '비본래적 삶'의 방식으로 살아가고 있다고 한다. 여기서의 '본래

적 삶'이 내 존재에 대해 인식을 가지고 사는 삶이라면, '비본래
적 삶'은 내 존재에 대한 인식없이 무작정 살아가는 삶을 말한다.

우리의 삶을 생각해 보면 알 수 있다. '비본래적 삶'을 살아가는
대부분의 사람은 물질만능주의적 세상에 동화하면서, 순간의 쾌
락과 즐거움에 초점을 둔다. 물론 그러한 삶이 나쁘다는 것은 아
니다. 특히, 자본주의 사회에서 살아가는 이상 물질과 쾌락에 관
심을 두고 살 수밖에 없다는 점은 자명하다. 하지만 삶에는 물질
과 쾌락만으로 충족시킬 수 없는 무언가가 있다는 점을 우리는
어렴풋하게나마 알고 있다.

'죽음에로의 선구'가 있다면 우리의 삶은 과연 달라질까? 언젠
가는 죽을 수밖에 없다는 가장 확실한 가능성을 내면 깊이 인식
한다면 우리는 현재의 삶을 되돌아보게 될 것이다. 지금의 삶의
방식이 가치가 있는 것인지, 그래서 이대로의 삶을 죽을 때까지
이어가도 되는지에 대해 다시 생각해 볼 수밖에 없다. 이러한 과
정에서 우리는 그동안 애써 외면했던 중요한 무언가를 찾게 될
지도 모른다. 그 무언가란 사람마다 다를 것이다. 그렇다고 해서

현재의 삶을 부정하라는 말은 아니다. 단지, 현재의 삶을 되돌아보면서 그동안 잊고 살았던 그 무엇인가를 찾아보라는 말이다.

지금부터라도 삶이 허전하거나 답답해질 때마다 앞으로 닥칠 죽음의 모습에 대해서 상상해보자. 그러면 분명 가치 있는 그 무엇인가를 찾아낼 수 있을 것이다.

04 나는 내가 싫었다

역사는 지금, 이 순간에도 만들어진다

시간은 그렇게 속삭여온다 _ 은파

시간은 속임수를 앞세워
현재에 집중하라 재촉한다

지금은 다시 오지 않고
과거는 이미 지나간 것이니
미래는 어찌 될지 모르니
걱정은 미뤄 놓을 수 있으니
그냥 지금 최선을 다하라 한다

하지만 이 순간
얼마나 많은 이들이
나의 과거를 위해
나의 현재를 위해
나의 미래를 위해
고개를 숙이고 있었을까

현재는 과거의 되새김이고
미래는 현재의 거울임을
절대 눈치채지 못하게
시간은 늘 그렇게 속삭여온다.

어려서부터 중학생 시절까지는 나 자신을 꽤나 싫어했던 것으로 기억한다. 키는 컸으나 많이 마른 편이라 왜소하게 보이는 것도, 내성적인 성격으로 남들 앞에 나서길 꺼리는 것도 싫었다. 하체보다 상체가 빈약하여 어떤 옷을 입어도 잘 어울리지 않는 점 또한 싫었다.

남들보다 잘하는 분야가 없다는 점은 특히 고민거리였다. 운동을 포함하여 예체능 분야는 젬병에 가까웠고, 그렇다고 문학 등 인문 분야에서도 남들보다 잘하는 것이 없었다. 지금 생각해보면 특별한 게 하나도 없었던 그 평범함이 싫었던 것 같다. 이렇듯 중학교 때까지는 한 마디로 지독한 열등감의 터널 속에서 질풍노도의 시기를 보냈다.

시간이 지나 성인이 된 이후 생각해보니 단점이라 생각했던 그 모든 것이 오늘날의 나를 있게 해 준 소중한 역사였다. 빈약한 신체 탓에 감기를 달고 살았지만, 그것이 싫어 국선도나 근력 운동을 꾸준히 해왔고 지금은 보통 이상의 체격을 가지게 되었다. 내성적인 성격을 고치기 위해서는 책을 소리 내어 읽는 연습을 꾸준히 해왔다. 책을 소리 내어 읽으면 발음과 운율이 뚜렷해질 뿐만 아니라 책 속의 지식이 밑반찬 역할을 해 주기 때문에 관계를 주도적으로 끌고 갈 힘도 키울 수 있다.

예체능 분야는 '직접 잘하기'를 포기하고 관람하는 능력을 키우는 쪽으로 관심을 돌렸다. 그 결과 지금은 스포츠뿐만 아니라 미술 등 예술 분야에서도 어느 정도 즐길 수 있는 눈을 가지게 되었다. 무엇보다도 나 자신을 가장 크게 변화시킨 것은 독서에 관한 관심이 아니었나 싶다. 고등학교 시절부터 책에 빠져 살았는데, 특히 철학책을 통해 다양한 철학자를 만나게 되면서 사색하는 힘과 논리적인 생각을 키울 수 있었다. 또한 철학적인 사유 경험은 사회생활에서 발생하는 각종 문제를 해결하는 데 큰 도움이 되었을 뿐만 아니라 자신감도 높여 주었다.

하이데거는 역사란 이미 지나간 것이 아니라, 실존하는 인간의 생기生起라고 말한다. 그는 과거와 현재뿐만 아니라 미래가 도래하는 과정 전체를 역사로 본다. 다시 말해 한 개인에게 있어 역사는 이미 지나간 것이 아니라 매 순간 결단에 따라 지속해서 변화할 수 있다는 것이다. 또한 그는 과거와 현재 그리고 미래를 분리해서 보지 말고 통합적으로 보라고 주문한다. 우리는 현재를 살아가고 있지만, 과거와 미래가 없는 현재는 존재할 수 없다는 것이다.

역사를 이렇게 이해한다면 과거 때문에 고통스러워할 필요는 없다. 나의 역사는 지금, 이 순간에도 쉴 새 없이 만들어지고 있기 때문이다. 미래 또한 두려워할 필요가 없다. 내가 살아온 과거를 바탕으로 현재에 집중한다면, 미래는 자연스럽게 따라오기 때문이다.

생로병사가 인간의 운명이긴 하지만, 그 과정을 얼마나 풍요롭게 보낼 수 있느냐는 자신의 선택에 달렸다. 지금까지 나름대로 매 순간 자신만의 역사를 써왔지만, 또 다른 역사는 지금, 이 순간에도 만들어져 가고 있다는 점을 명심하자. 지나간 날이 힘들었다 하여 무조건 잊으려 하지 말고, 소중한 역사의 한편으로 고이 간직하자. 그렇게 하다 보면 지독히도 싫었던 과거 모습조차 사랑스럽게 다가올 것이다.

2부 비틀린 삶의 흔적들

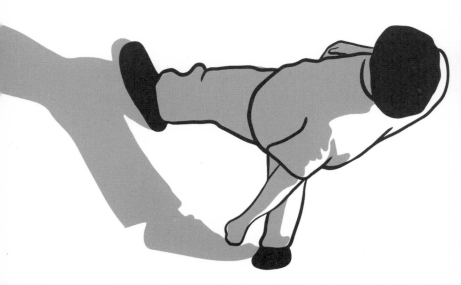

설리를 위한 변명
언어는 존재의 집이다

말의 향연 _ 은파

말이 돌고 돌아
어디로 향하는가?

잘못 뱉은 말은 송곳이 되어
다른 이를 찌르지만
그대 향한 칼날로도 돌아오니
삼가고 또 삼가야 할 일

네 탓이라 저주하면
먹구름은 하늘을 뒤덮고
청천벽력 내리치니
그 폭풍 어디로 가겠는가?

무의미한 짐승의 탈을 벗고
작은 소망 함께 나눈다면
저주의 바다에도
새로운 하늘은 열리나니

때론 궤도를 잘 보자
말이 돌고 돌아
어디로 향하는지.

2019년 10월 14일이었다. 이날 저녁 직원들과 함께한 회식 자리에서는 단연 설리의 사망 소식이 화제였다. 남의 말을 함부로 하는 것은 그 사람의 목숨을 **빼앗는** 것과 같은 일이다. 사람 살리는 말을 하기도 바쁜 세상에서 얼마나 천벌을 받으려고 남의 말을 함부로 하는지 참으로 이해가 되지 않았다.

아역 배우 출신 설리는 걸그룹 '에프엑스'로 활동하던 2014년 악성 댓글과 루머로 고통을 받다가 연예 활동을 잠정 중단했다. 그리고 3개월 뒤에 활동을 재개했으며, SNS를 통해 팬들과 활발한 소통을 펼쳐 나갔다. 특히 〈악플의 밤〉이라는 예능 프로그램 MC를 맡으면서 사회적 이슈에 대한 소신 발언으로 많은 팬의 사랑을 받았다. 설리는 악플로 가수 활동을 중단했지만 그런 경험을 바탕으로 더욱 단단해진 것 같았고, 그런 자기 모습을 SNS를 통해 팬들에게 자주 보여줬다.

그러나 일부 악플러들은 이런 모습이 '관종' 같다며 설리를 괴롭혔고, 일부 언론도 색안경을 끼고 보도했다. 겉으로 보기에 설리는 이러한 편견과 계속 싸워나가는 것 같았다. 하지만 〈악플의 밤〉까지 진행했던 설리가 이슬처럼 사라져간 소식을 듣고, 그간 그녀가 느꼈던 고통이 얼마나 컸을지 그제야 짐작할 수 있었다. 이런 일이 있은 지 한 달도 안 되어 설리의 절친이었던 구하라 또한 악플로 스러져갔다. 두 스타의 사망 이후 시간이 많이 지났지만, 악플 문제는 여전히 진행 중이어서 안타깝기 그지없다.

 이는 악플만의 문제가 아니다. 요즘 우리 사회는 온통 가짜 뉴스 때문에 난리다. 가짜 뉴스가 횡행하는 이유는 이념적인 문제도 있지만 결국은 돈이 되기 때문이 아닌가 한다. 특히 페이스북이나 유튜브 등의 채널이 우리 생활에 일상화되면서 가짜 뉴스 문제는 더욱 기승을 부리고 있다. 우리나라에서 태동한 채널이라면 우리 사회 시스템 안에서 어느 정도 자정 기능을 발휘하도록 할 수 있다. 그렇지만 해외 채널은 사정이 다르다. 가짜 뉴스라고 해도 돈이 되기 때문에 컨트롤할 의사가 강하지 않고, 우리 사회에서 강제할 만한 수단도 마땅치 않은 것이 현실이다. 이런 가짜 뉴스들을 정규 매체들이 사실 검증 없이 받아 쓰니 문제가 더 커진다. 이들은 주장할 것이다. 사회의 다양한 의견을 전달하는 것이 언론의 사명이기 때문에 그럴 수밖에 없다고. 과연 그럴까. 물론 다양한 의견을 전달하는 것은 좋다. 하지만 사실이 아닌 것도 자주 보도하다 보면 국민은 사실로 믿을 수밖에 없다. 이런 부분을 간과한다면 뉴스가 악플과 다른 것이 무엇이란 말인가.

「말의 향연」이라는 시는 설리의 죽음이 있기 5년 전쯤에 썼던 글이다. 그 당시에도 아니 그 이전에도 함부로 말하는 것 때문에 고통을 받는 사람들은 늘 있었다. 비단 요즘에만 있는 일은 아니다. 조선시대 사극을 보면 왕비뿐 아니라 왕의 여자들이 중심이 된 내명부에서 왕의 총애를 얻기 위해 없는 사실도 만들어내고, 조그마한 일을 뻥튀기해서 상대방을 곤혹스럽게 하는 상황이 자주 나온다. 언뜻 에피소드로만 보이는 이런 일은 내명부 여인들과 연결된 정치 세력에 의해 목숨까지 오가는 피바람으로 비화하기도 한다. 이렇듯 시대 여하를 막론하고 말로 인한 문제는 늘 있었지만, 요즘처럼 크게 이슈화된 적은 없는 것 같다. 그것은 다양한 매체가 발달하면서 말이 퍼져나가는 속도가 어마어마하게 빨라지고, 그 양도 압도적으로 늘어났기 때문이리라. 그러면 이러한 말의 문제는 시간이 가면 해결될 수 있을까? 아마 인간이 존재하는 한 쉽지 않을 것이다.

—

하이데거는 언어를 의사소통 수단으로 보았을 뿐 아니라, 존재의 진리가 머물러 있는 '존재의 집'이라고 보았다. 달리 말하면 언어는 진리를 날라다 주는 역할을 한다는 것이다. 존재의 언어에 귀를 귀울이면서, 거기에 숨어있는 진리에 순응할 때 인간이 인간으로서 존재할 수 있다는 것이 그의 주장이다. 결국 언어는 진리와 불가분의 관계를 맺고 있다는 것이다.

한편, 하이데거는 언어가 진리를 간직하지 못한 채 기껏해야 의사소통 도구로서 기능하고 근원적 사유가 결여된 상태를 '언어의 퇴락'이라고 부른다. 언어가 진리와는 아무런 관계도 없이 인간의 욕망을 실현하는 도구, 남을 짓밟는 일이나 한순간의 쾌락을 위한 도구에 불과한 상태가 바로 언어의 퇴락인 것이다. 이렇게 되면 인간이 진리 속에서 거주할 진정한 언어가 사라진다. 결국에는 언어의 퇴락이 인간 본질에 대한 위협으로 작용한다고 하이데거는 강조한다.

설리에게 쏟아진 악플의 문제를 언어의 문제로 살펴보자. 하이데거 관점에서 보자면 **설리를 향한 악플은 언어의 퇴락이 극단화된 상태**라고 할 수 있다. 악플러의 말은 순간의 유희일 뿐만 아니라, 어쩌면 사회적으로 잘 알려진 사람을 괴롭히면서 대리만족을 느끼는 도구이기도 했을 것이다. 그러므로 이들 악플러의 말은 참된 의미의 언어라고 볼 수 없다. 한편 설리는 이러한 악플러의 말에 진정한 언어로 대응한 것으로 보인다. 설리의 말은 대부분 자신의 존재 의미에 대한 고민을 담고 있었다. 어떻게 보면 그녀의 영혼이 그녀의 말에 깃들어 있는 것도 같았다. 그러나 인간으로서 참을 수 있는 한계를 넘어서인지, 결국 설리는 죽음을 선택하고야 말았다.

하이데거의 말처럼 '언어는 존재의 집'이다. 어떤 말을 하는지 보면 그 사람을 알게 되니, 말을 내뱉기 전에 다시 한번 생각해 보는 시간을 가졌으면 한다. 세상은 돌고 도는 것이다. 지금 내가 던지는 말 한마디는 언젠가 반드시 내게 돌아온다.

06 오만과 편견

나는 맞고, 너도 옳다

다짐 _ 은파

경건함이 떠난 사회
만연된 혼란은 도처에서
회오리처럼 휘감아 온다

정치적 무기력함
예술적 지반상실
학문적 무정체성
사회적 극단주의
 종교적 근본주의

신적인 경외감과
숨겨진 비밀에 대한
무지로부터
곤경은 찾아온다

세찬 바람에 맞섬은
비밀의 열쇠이니
조심스레 우상을 깨트리자

세계 속에 사라져 버린
근거를 숨김없이 데려오면
관계는 다시 세워지리니
동굴 속 그림자를
지워버리자.

10여 년 전 뉴욕 주재 대한민국 총영사관에서 근무한 일이 있었다. 아이들 교육 문제 때문에 뉴저지주 잉글우드 클리프스Engle-wood Cliffs에 집을 마련했고, 아이들은 그곳에 있는 초등학교에 다녔다. 당시 아이들 수업을 여러 번 참관할 기회가 있었는데, 특이했던 것은 아이들의 학습 참여 열기가 매우 높았다는 점이다. 선생님이 질문하면, 거의 모든 학생이 경쟁적으로 손을 든다. 선생님은 몇몇 아이를 순서대로 지목하면서 답변을 듣는다. 아이마다 생각이 달라서 선생님조차 상상하지 못했던 답변이 나오는 것을 매우 흥미롭게 지켜보았다. A라는 학생이 예상외의 답변을 하면 선생님은 "아, 그렇게 생각할 수도 있겠구나!" 하며 다른 학생의 답변을 유도했다. 물론 다른 학생의 답변에도 선생님의 대응은 비슷했다. 선생님이 원하는 답변이 계속 나오지 않으면 "오늘 나온 답변은 나름대로 다 의미가 있다. 다만, 선생님 생각은 '이런 것'이니 함께 생각해보자."라고 매듭을 지었다.

아이들 숙제를 도와주면서도 비슷한 경험을 했다. 미국 수학은 한국 교과 과정보다 훨씬 쉬워서 한편으론 걱정이 앞섰다. 몇 년 뒤 한국으로 귀국하게 되었을 때, 한국 학생들이 배우는 수학을 따라갈 수 있을까 하는 걱정이었다. 미국에는 우리나라 같은 과외 시스템이 없기 때문에, 다른 것은 몰라도 수학 숙제는 많이 도와줬다. 아이들과 문제를 풀 때 나는 한국식으로 가장 쉬운 방법을 찾아서 답을 내거나 공식을 알려주고 풀어보라고 했다. 하지만 아이들은 이 방법에 조금은 난감해했다. 비록 쉬운 문제지만, 답을 한 가지로 풀어가는 숙제가 아니었기 때문이다. 정확히 기억나진 않지만, 문제에 대한 풀이 과정을 다섯 개 정도로 적어오라는 숙제가 대부분이었다. 처음에는 한 가지 방법으로 해도 되는데 왜 이렇게 비효율적으로 하는지 선뜻 이해할 수 없었다. 그러나 시간이 지나면서 그 이유를 이해하게 되었다. 1년 정도 지나자 수학뿐 아니라 다른 과목에서도 문제나 주제를 여러 가지 방향으로 바라보는 아이들의 변화를 뚜렷하게 목격할 수 있었으니까.

귀국 후 아이들의 변화는 놀라웠다. 학교 선생님들이 일성으로 말하는 것이 있었으니, 그것은 우리 아이들이 매우 용감하다는 것이었다. 선생님이 질문하면 답을 정확히는 몰라도 무조건 손부터 든단다. 나는 아이들의 이러한 모습이 나름 흐뭇했다. 그러나 기대는 오래가지 않았다. 맞지 않는 답에 대한 선생님이나 아이들의 반응에 점점 위축되어 가더니 6개월도 안 되어 한국 학생들과 완전히 동화되었고, 답을 알고 있어도 혹시 틀릴지 몰라 손을 들지 않았다. 이때 많은 생각을 했다. 왜 우리 사회에서는 정답이 한 개만 있다고 생각하는지, 왜 다르게 생각하면 틀린 것인지 등의 문제였다.

아마 대한민국만큼 '옳냐 그르냐'로 사회가 극단화된 나라는 그리 많지 않을 것이다. 여러 가지 요인이 있지만, 짧은 시간 동안 압축 성장을 이루기 위해서는 과정보다 결과가 중요했기 때문일 것이다. 아이들의 교육도 마찬가지다. 선생님 역할은 가장 효율적인 공식을 동원하여 재빨리 정답을 내는 과정을 가르치는 것이었다. 이런 아이들이 사회로 나오니 과정은 보지 않고, 결과만으로 사물을 평가하는 것이 아닐까 한다. 물론 효율성을 바탕으로 우리나라는 세계 10위권의 경제 대국으로 성장했다. 하지만 우리나라의 2,220개 전 상장사 주식을 다 팔아도 애플 한 회사를 살 수 없다는 최근 보도를 보면 무엇인가 분명 변화는 필요하다고 느낀다. 수십 년 전을 생각하면 한국의 성장 속도는 그야말로 눈부시다. 다만 경제 구조의 취약성과 사회 문제의 복잡성 등을 고려하면, 현재 한국의 시스템 안에서 애플 같은 회사가 나올 수 있을지 걱정이다. 지금이라도 결과보다 과정을 중시하고 다양한 이해관계를 가진 사람들의 생각을 포용하는 방향으로 나아가지 않는다면 우리나라의 발전은 분명히 정체될 수밖에 없을 것이다.

  우리 사회의 '나만 옳다'라는 오만과 편견을 벗어던지기 위해서는 어떻게 해야 할까? 진리에 대한 사상적 지평을 하루빨리 확립하는 것이 시급한 과제다. 진리 개념을 역사적으로 살펴보자. **고대에는 진리를 플라톤의 '이데아'로 이해**했다. 플라톤은 감각적이고 변화무쌍한 것은 현실 세계이고, 영원히 변하지 않는 참된 진리는 이데아의 세계라고 보았다. **중세 시대 사람들은 기독교를 절대 진리**로 보았다. 이렇게 보면 고대 시대나 중세 시대 사람들에게 진리란 현실 세계에 뿌리내린 상태에서 이데아의 세계나 기독교적 가르침을 꾸준히 추구하는 과정이라 할 수 있다. 이러한 **이분법적 진리관은 근대 분석철학에서도 큰 틀은 유지**되었다. 이 당시에는 진술이나 신념 같은 것들만 참과 거짓이 될 수 있다고 보고, 이러한 진술이나 신념들이 어떤 사실이나 사태와 일치될 때만 참이나 거짓으로 보았다. 결국 이에 따르면 존재자의 참과 거짓 여부가 곧 진리를 가르는 기준이 되는 것이다.

하이데거는 좀 더 진전된 견해를 보인다. 그는 근대 분석철학의 견해를 부인하지는 않는다. 다만, **진리를 분석철학의 시각으로만 한정해서는 안 된다고 본다. 그에게 진리란 숨겨진 존재가 환하게 드러나는 것까지 확장**된다. 다시 말해 그가 말하는 진리란 영원히 열려 있고, 생성하는 존재 자체가 개방적으로 드러나는 것이다. 이러한 하이데거의 진리관은 일반인들이 쉽게 접근하기가 어렵다. 암호를 나열한 것 같다고 느끼는 사람들도 있다. 그래서 이에 대한 해석도 다양한 방향에서 이루어지는 것 같다. 하지만 그의 말에서 함의는 찾을 수 있다고 본다. 그것은 열려 있다는 개방성, 생성한다는 의미에서의 변화성이라고 요약할 수 있다.

분석철학에서처럼 진리를 진술이나 신념으로 축소해서 본다면, 참과 거짓은 결정론적인 관점을 가진다고 할 수 있다. 반면 하이데거처럼 진리를 개방성과 변화성까지 확장해서 본다면 진리란 고정된 그 무엇이 아니게 된다. 개방성이란 진리가 닫혀있는 것이 아님을 뜻한다. 열려 있는 마음속에 진리가 생기生起한다는 말이다. 역사적으로만 보더라도 새로운 진리는 늘 탄생해왔다. 4차 산업 시대에 이르러 새로운 것들이 셀 수 없이 쏟아져 나오고 있다. 그렇기 때문에 진리는 항상 새롭게 등장할 수밖에 없다. 변화성 측면에서 보아도 마찬가지이다. 진리는 고정된 것이 아니라 늘 변화한다. 코페르니쿠스가 등장하기 전에는 천동설을 진리로 믿고 살았으나, 그 이후로 지동설을 부인하는 사람은 없다. 그러나 이것도 태양과 지구만 놓고 볼 때 그러한 것이지, 전 우주적인 시각에서 본다면 다른 설명도 가능해질 것이다. 이처럼 과거에 진리였던 것도 시대가 변하면서 진리가 아닌 것이 되고, 그 역도 가능해진다.

  따라서 **나만 옳다는 생각은 오만과 편견이자 '나만의 생각'일 가능성이 크다.** 세상은 늘 변화한다. 개방성이라는 열린 마음과 변화성을 염두에 두지 않고 감히 '진리'를 주장하지 않았으면 한다. **'나는 맞고, 너도 옳다' 이러한 시대정신이야말로 지금 우리 사회에 필요한 것이다.**

07 우리라는 이름의 집단 최면

우리에 갇힌 우리를 깨뜨리자

윤회 소고小考 _ 은파

지나간 길이라 무시하지 마라
한갓 돌 부스러기에도
우주가 담겨 있다네

볼품없다 욕하지 마라
힘겹게 걷고 있는 걸인에게도
역사는 쌓여 있다네

징그럽다 피하지 마라
땅속 지렁이에게도
대지를 돌보는 소임이 있다네

모든 생명은
같은 어머니를 모시고
무생물도 시간 속에서
생명으로 다시 돌아오나니

다르다 책망하지 마라
다른 것은 틀린 것이 아니라
삶에 풍요를 주는 다양성이니.

뉴욕에서 근무했을 당시, 동포 관련 업무를 맡았던 관계로 한인
들과 접할 일이 많았다. 그러면서 자연스럽게 한인 사회에 관한
여러 가지 사실을 알게 되었고, 애로사항도 들을 수 있었다. 한
번은 뉴저지 쪽 한인회장과 골프를 치면서 그분의 생각을 듣게
되었다. 한국에 지인들이 많이 있어 자주 다녀오는 편인데, 이 경
우 가장 불편한 점이 나이란다. 한국에선 나이가 한 살이라도 어
리면 왜 아랫사람 취급하는지 도저히 이해할 수 없다는 것이었
다. 미국에 이민 온 지 30년 가까이 된 분인 것을 생각하면 이해
가 가는 측면도 있었다. 대학도 미국에서 나오고, 군대도 미국에
서 마쳤으니 얼굴만 한국 사람이지 정신은 미국 사람이었기 때문
이다. 그래서 한국의 유교 문화 전통에 따른 장유유서長幼有序를
이해하기 어려웠을 것이다.

우연한 기회에 한국으로 역이민했다가 다시 미국으로 돌아온
사람들을 만난 일도 있었다. 이들에 따르면 2008년 미국 모기
지 사태로 발발했던 세계적인 금융위기로 인해 한인들의 삶도
많이 어려워졌고, 이 때문에 많은 동포가 미국보다 한국의 경제
사정이 나을 거라 보고 역이민을 하게 되었단다. 그런데 1~2년

도 못 견디고 많은 역이민자가 미국으로 다시 나올 수밖에 없었다고 한다.

왜 이런 일이 생긴 것일까? 이유는 단순했다. 한국에서의 생활이 너무도 어려웠다는 것이다. 앞에서 언급한 나이 문제도 있지만, 또래 집단에 끼지 못하면 외톨이가 된다고 했다. 술도 마찬가지였다. 한국인들이 술을 많이 마신다는 것은 누구나 잘 아는 사실이다. 나도 거의 3년 정도 미국에 있었지만, 술을 마신 횟수를 계산해보니 한 달에 많아야 2~3번 정도였다. 한국에서 주 2~3회 마셨던 것에 비하면 거의 마시지 않은 거나 다름없었다. 그러니 이들이 한국 사람의 음주 문화를 따라가기가 얼마나 힘들었겠는가. 물론 따라가지도 못하려니와 그런 이유로 모임에 끼워주지 않으니 역이민자들은 점점 소외될 수밖에 없었을 것이다. 사람이 살아가면서 집단에 들어가지 못하고 소외당하면 그것만큼 힘든 일도 없다. 이러한 이유로 미국으로 다시 돌아올 수밖에 없었다. 안타까운 현실이지만 서로 다른 문화로 인해 발생한 일이다. 결국은 한국 사람들이 '다름'을 다양성으로 이해하는 게 아니라 틀린 것으로 생각하고 있어 빚어진 일일 게다.

그러면 문화의 정체성을 형성하는 민족에 대해서 알아보자. 일반적으로 인정되는 민족 개념은 '오랜 세월 동안 일정한 지역에서 함께 살아오면서 독특한 언어, 풍습, 문화, 역사를 가지게 된 공동체'라고 할 수 있다. 이러한 민족 개념은 국가와는 다른 것이다. 스위스처럼 다민족이 모여 하나의 국가를 이룬 나라를 보면 알 수 있다. 민족 개념을 이렇게 이해하면 역이민자들이 한국에서 적응하지 못하는 것은 일견 당연하다. 그들이 살아온 미국과 언어, 풍습, 문화, 역사가 다르므로 이들은 한국에서 정신적인 아노미를 겪었다고 보아야 한다. 이들은 겉모습만 빼고 온전히 미국인이기 때문이다.

　그러면 **하이데거**는 민족의 본질을 어떻게 보았을까? **그에 따르면 '민족이란 존재의 진리를 대지(땅) 안에 간직하는 것'이라고 한다.** 하나의 민족이 진리 속에서 민족의 역사성에 근거할 때, 민족의 본질이 성립한다고 본 것이다. 그리고 '민족의 정신적 세계'는 그 민족의 대지와 피를 순수하게 보존하는 힘이라고 하였다. 그의 주장을 쉽게 설명하면 '같은 대지에서 나와 같은 피를 보존하면서 진리의 역사를 함께하는 것'이 민족이라는 것이다.

이러한 **하이데거의 시각은 어찌 보면 일반적인 민족 개념과 크게 다르지 않지만, 대지와 혈통을 강조한 것으로 이해하면 전체주의 냄새가 난다고 할 수도 있다.** 실제로 그는 나치즘에 참여해 1933년 프라이부르크대학교 총장으로 취임했는데, 이 시기에 나치즘의 진리를 민족 과업으로 인식함으로써 독일 대학의 본질을 회복하고자 했다. 물론 1년여의 시간 동안 총장을 지내며 나치즘과 자신이 생각하는 진리가 서로 맞지 않는다는 것을 깨닫고 그만두기는 했으나, 사후까지도 나치즘 참여 경력이 꼬리표처럼 그를 따라다녔다. 이외에도 민족이 다르다는 이유를 염두에 뒀는지는 모르겠지만, 그는 독일 치하에서 핍박받는 유대인 문제에 대해서도 침묵했다.

현대 철학사의 거두이자 이단아라고 할 수 있는 사람도 민족 문제를 혈통과 국가의 개념으로 오판하고 나치즘에 학문적으로 협력했던 사실을 타산지석 삼아, 우리는 민족 문제가 자칫하면 집단주의나 전체주의로 흐를 수 있음을 경계해야 한다. 사실 상당 기간 하이데거에 빠져 있던 상황에서 나치즘에 협력한 그를 이해하기 힘들었다. 물론 나중에 본인의 생각이 잘못됐다는 점을 인식하고 발을 빼긴 했지만, 이 부분만큼은 명백하게 하이데거의 오판이었다고 생각한다. 그렇다고 하이데거가 현대 철학사에서 쌓은 업적까지 부인하는 것은 아니다.

미국 동포들과 하이데거의 사례를 보면서 보통 사람은 물론이고 지식으로 무장한 사람도 '우리'라는 울타리에 갇히면 생각이 마비될 수 있다는 점을 느낄 수 있었다. 우리는 한때 단일민족이기 때문에 한민족이 우수하다는 교육을 받았다. 하지만 역사적으로 수많은 전쟁을 겪었던 우리나라는 단일민족국가가 아닐뿐더러, 요즘에는 농촌인구의 10% 이상이 다문화 가정일 정도로 지금 한국 사회는 본격적인 다문화 사회에 진입해 있다.

이러한 상황에서 단일민족이라는 생각은 이제 과감히 버려야 한다. 단일민족이라는 울타리는 우리의 생각을 편협하게 만드는 족쇄이기 때문이다. **이제는 '우리'라는 집단 최면에서 벗어나야 할 때가 왔다. 다른 것은 틀린 것이 아니라 다양성이라는 사실을 이해했으면 한다.** 다른 문화에 대한 포용성이 있어야만 우리나라 경제 규모에 걸맞은 지도력을 세계적으로 펼쳐 나갈 수 있다. 적어도 수많은 외세의 침략을 겪어 온 대한민국은 편협하고 집단최면에 빠져있는 중국이나 일본의 길을 걸어가지 않았으면 하는 게 작은 바람이다.

08 이방인의 나라

이방인이겠지!

두보 초당에서 _ 은파

천 년 기다림 끝 마주한 님
너무도 편히 잠들어 있구나

가을바람에 초가이엉은
여전히 부서지고 있음을
아시는지 모르시는지

님의 꾸짖음은 허공을 맴돌고
피고름 발자국만 남아 있네

머리 둘 땅 한 평
처자식과 따뜻한 소찬 한상
그리 큰 욕심인지

황금빛 마차 구원의 손길은
기약 없이 기다리고 있건만
영접할 님 언제 오시려나.

　몇 년 전 중국 청두를 여행할 때 두보 초당에서 찍은 사진이다.
두보 초당은 중국을 대표하는 당나라 시인 두보杜甫가 한때 거주
했던 암자 자리에 두보 기념관과 광대한 정원을 조성해 놓은 곳
이다. 이곳에 뭔가 의미심장한 그림이 있어 사진을 찍으면서, 그
림에 대한 설명을 들었다. 위 그림에서 하늘을 향해 두 팔 벌려 기
원하고 있는 이가 두보 자신이고, 두보를 둘러싸고 있는 원형 불
꽃은 당시 끊임없는 전쟁으로 온 나라가 불타고 있는 장면을 묘
사한 것이라 했다. 불꽃 밖에는 전쟁 속에서 고통받는 서민들의
모습이 그려져 있다. 하늘을 향해 백성을 구원해달라고 간절하
게 기도하는 두보의 모습을 이 그림 한 장으로 이해할 수 있었다.

「두보 초당에서」는 두보 초당의 돌에 새겨진 두보의 시 「모옥위 추풍소파가茅屋爲秋風所破歌」를 보고 감흥을 받아 써본 글이다. 이 시에서 두보는 가을 태풍에 다 무너져가는 초가집 모습과 비가 새는 집에서 잠을 이루지 못하는 상황을 특유의 해학적 기법으로 표현하고 있다. 시에 쓰인 '태풍'을 글자 그대로 해석하면 자연현 상으로 볼 수도 있으나, 실은 당시의 험난했던 시대 상황을 빗댄 것이라고 한다. 앞에서 소개한 그림과 같이 전란 등으로 혼란한 상황에서 서민들이 고통받는 모습을 표현했다는 것이다.

예나 지금이나 혼란한 상황 속에서 사는 것은 마찬가지인가 보 다. 물론 두보가 살았던 시대처럼 굶어서 또는 전쟁으로 수많은 목숨이 죽어 나가지는 않지만, 정치권의 끊임없는 싸움으로 많은 사람이 고통스러워한다는 점은 현대의 우리나라도 다르지 않다. 아침에 일어나 뉴스를 틀면 끼리끼리 치고받는 싸움 때문에 정신 이 사나워 정치 뉴스는 잘 보지 않는 편이다. 아무리 생각해도 이 들이 진정 국민을 위해 싸우는 것인지 잘 모르겠다. 정당마다 정 강·정책이 있고 이념적 지향점이 있어서 이를 관철하기 위해 싸 우는 것이라고 생각은 하지만, 매사에 비판을 위한 비판을 주고

받는 경우가 많은 것이 현실이다. 물론 정권 획득이 정당의 존재 이유라는 점은 이해가 간다. 그러나 과정이 정당하지 못하다면, 그 피해는 고스란히 국민에게 간다는 사실을 명심했으면 한다.

또한 선거를 통해 신인들이 정당에 투입될 때마다 기대를 하지만 그 기대는 기다림으로 끝날 때가 많다. 우리나라 법에는 정당 민주주의가 보장되어 있다. 이는 정당 내 민주주의도 포함하는 개념으로 알고 있는데, 신인들은 기득권 정치 세력에 너무도 쉽게 동화되어 버리기 일쑤다. 아마 4년 뒤 선거에서 공천을 보장받으려면 어쩔 수 없다고 항변할 수도 있을 것이다. 그러면 그들은 국민의 대표가 아닌 특정 세력의 대표일 뿐이며, 정당 내에서 거수기와 나팔수 역할만 하게 되는 것이다. 이제 고민이 많이 된다. 우리나라 일부 정치 세력들은 과연 우리나라 국민인지 아닌지. '이방인이겠지!'라고 느끼는 사람도 아마 많을 것이다.

희망이 보이냐고 물으면 쉽지 않다고 대답할 수밖에 없다. 하이데거의 제자인 한나 아렌트의 저서 『예루살렘의 아이히만』을 살펴보자. 이 책은 특파원 자격으로 유대인 대량학살 최고 책임

자인 전범 아이히만의 재판 과정을 기록한 내용이다. 당시 유대인들은 잔혹한 전범 아이히만에 대해 악마라고 생각하고 있었으며, 아렌트의 기록도 이러한 방향으로 나올 것으로 기대했다. 하지만 그녀의 기록은 유대인들에게 큰 충격이었다. 아렌트가 아이히만을 악마로 그리지 않고 그저 평범한 사람으로 묘사해 놓았기 때문이다. 아렌트는 아이히만이 당시 독일인이라는 집단의식 속에서 행동한 것이지, 한 개인으로서 악을 행한 것이 아니라고 보았다.

맞는 말이다. 그는 독일인의 일원으로서 일을 저지른 것이다. 물론 당시에는 그것이 독일인들의 당연한 소명이었을 것이다. 또한 아이히만은 그저 평범하고 성실한 독일 시민 중 한 사람이었다고 아렌트는 말한다. 그는 상부의 지시를 성실하게 실천했고, 관료제하에서 유대인 학살을 단순한 업무로 생각했다는 것이다. 이러한 그녀의 기록에 대해 일부 유대인들은 크게 분노했지만, 지금 생각해 보면 **악의 평범성과 집단성**에 대한 아렌트의 기록이 시사하는 바가 매우 크다.

다소 차이는 있지만, 우리의 정치 구조에 속한 이들이 과연 아이히만과 다르다고 할 수 있을까? 이방인이라 칭한 일부 정치인들은 그들만의 리그(집단)에 몰입되어 자신들이 국민의 대표라는 사실을 잊고 있는 경우가 많다. 말도 안 되는 편법을 동원해서라도 리그가 보호해주니, 리그의 이익을 대변하면서 죄책감을 전혀 느끼지 못한다. 이뿐만이 아니다. 그들은 리그의 지시가 있으면 개인적 신념도 포기하기 일쑤다. 그러니 아이히만의 사례와 다를 것이 무엇이란 말인가.

이 시점에서 아렌트의 말에 귀를 기울여보자. **아렌트는 아이히만의 행동은 한마디로 '사유의 부재'에서 나왔다고 결론지었다.** 인간의 생명을 빼앗는 일을 단순한 업무로 생각했다는 것은, 인간에게 가장 중요한 생명권에 대한 사유가 전혀 없었음을 뜻한다. 사유 없는 정치는 사유 없는 아이히만과 다를 바가 없다. 물론 정치만이 아니라 우리 사회의 곳곳은 사유의 부재로 신음하고 있다. 일일이 열거하지 않아도 다들 알 것이라 생각한다.

그렇다면 어떻게 사유의 힘을 기를 것인가? 기성세대를 바꾸는 것은 이미 불가능하다. 사람은 고쳐서 못 쓴다고 하지 않는가? 그러니 교육과정이라도 바꿔야 한다. 문제 한 개라도 더 맞추게 해서 더 좋은 대학에 보내는 것이 중요한 시대는 이미 지났다. 초중고 모든 과정에 사유를 키울 수 있는 의무 교육과정을 반드시 포함해야 한다. 교육과정의 50% 이상을 사유와 관련된 과정으로 채운다 해도 결코 많은 것은 아니라고 본다. 이런 생각을 하다 보면 흥분이 된다. **인간에 대해서, 우주에 대해서, 생명에 대해서, 환경에 대해서 고민하고 토론하는 우리 아이들의 모습을 상상하면 어찌 흥분되지 않겠는가.** 이러한 사유가 철철 넘치는 사회가 만들어진다면, 우리 사회에서 폭발적으로 증가하는 병폐가 조금씩은 줄어들 수 있을 것이다.

3부 내 가는 길은 공사 중

09 나는 단지 승객에 불과하였다
어제까지는 승객이었다

1729년 독일 출신 아버지와 스웨덴 출신의 어머니 사이에서 태어난 예카테리나는 열 살 경 러시아 황제 옐리자베타의 조카 율리히(표트르 3세)와의 결혼을 제의받았다. 이에 대해 어머니는 환영했지만 아버지는 집안 내력인 루터파 교회와 결별이 걱정되어 개종하지 않겠다는 딸의 다짐을 듣고서야 결혼을 허락한다. 후일 옐리자베타 황제가 죽고 율리히가 황제가 되었다. 그는 전쟁 중이었던 프러시아와 강화조약을 맺었다. 러시아 군대도 프러시아식 군복을 입도록 하고, 프러시아 용병을 근위병으로 들이면서 귀족들과 군부의 불만은 날로 높아졌다. 표트르 3세는 몸만 러시아에 있었지, 정신은 온통 독일에 있었던 듯하다. 예카테리나는 달랐다. 독일에서 자랐으나 표트르 3세와 결혼하면서 러시아 정교회로 개종했고, 남편과 달리 러시아 문화를 존중하면서 철저히 러시아인으로 살아가길 원했다. 따라서 러시아 귀족들과 군부가 예카테리나를 존경하고 따랐던 것은 어찌 보면 당연한 일이었다.

예카테리나의 삶은 한마디로 눈물과 함께 한 삶이었다. 정략 결혼한 남편의 방탕으로 인한 눈물, 부모와의 약속을 저버려야 했던 마음속 상처, 그리고 낳자마자 빼앗겼던 아들로 인한 눈물. 이러한 눈물 속에서 위대한 러시아 지도자가 탄생했다. 예카테리나는 귀족과 군부의 도움으로 황제가 되자마자 서양의 관습과 기술을 적극적으로 받아들였지만, 자국 문화와 정신을 중심으로 국가를 운영했다. 이러한 그녀의 정책은 광범위한 계층의 지지를 얻었고, 이를 바탕으로 알래스카, 오스만튀르크, 몽골, 폴란드 동부 땅까지 영토를 확대하여 유럽 전체 인구의 20%를 점유하는 최대 국가로 러시아를 변화시켰다.

나 또한 고등학교 때까지는 나름 원대한 꿈을 가지고 있었다. 자신도 있었다. 하지만 대학에서 취업이라는 현실 앞에서 많은 꿈을 포기할 수밖에 없었다. 사회에 나와서도 마찬가지였다. 사회생활을 하면서도 포기하지 못한 꿈을 이루기 위해 여러 번 시도해 보았지만, 결과는 늘 제자리였다. 그리고 세상은 나 없이도 잘만 돌아가고 있었다. 한때 운전사를 꿈꾸었던 나는 단지 승객에 불과했다. 이러한 무기력에 빠져있을 때 만난 사람이 예카테리나 대제였다. 그녀와 남편이 통치하던 시절의 러시아는 유럽에서도 변방이었고, 기술적으로나 문화적으로 후진성을 면치 못했던 국가였다. 하지만 한 사람은 퇴위를 당하는 아픔을 겪었고, 한 사람은 러시아를 유럽에서 주목받는 국가로 키워나갔다. 그녀가 남편과 달리 위대한 업적을 남긴 이유는 무엇일까?

 예카테리나와 표트르 3세는 세상을 보는 눈이 달랐다. 러시아의 정체성을 고려하지 않고 선진화된 독일 문물을 무차별적으로 도입했던 표트르 3세와 달리, 예카테리나는 대내외적 여건을 고려해 자국 문화와 정신을 중심에 두고 외부의 기술을 도입했고, 이를 바탕으로 러시아를 획기적으로 변화시켰다. 예카테리나는 가장 러시아다운 것을 주축으로 하지 않으면, 개혁이 실패하리라는 것을 이미 알고 있었다.

잭 캔필드, 『영혼을 위한 닭고기 수프 1』 중에서

내가 젊고 자유로워서 상상력에 한계가 없을 때,

나는 세상을 변화시키겠다는 꿈을 가졌었다.

좀 더 나이가 들고 지혜를 얻었을 때 나는 세상이 변하지 않으리라는 걸

알았다. 그래서 내 시야를 약간 좁혀 내가 살고 있는 나라를 변화시키겠다

고 결심했다.

그러나 그것 역시 불가능한 일이었다.

황혼의 나이가 되었을 때 나는 마지막 시도로, 나와 가장 가까운 내 가족을

변화시키겠다고 마음을 정했다. 그러나 아무도 달라지지 않았다.

이제 죽음을 맞이하기 위해 누운 자리에서 나는 문득 깨닫는다. 만일 내가

나 자신을 먼저 변화시켰더라면, 그것을 보고 내 가족이 변화되었을 것을.

또한 그것에 용기를 얻어 내 나라를 더 좋은 곳으로 바꿀 수 있었을 것을,

그리고 누가 아는가, 세상까지도 변화되었을지!

이 글은 「웨스트민스터 대성당의 지하 묘지」에 있는 **영국 성공회 주교의 무덤 앞에 적혀 있는 글**이라고 한다. 어찌 보면 러시아 황제, 표트르 3세의 한탄처럼 느껴지지 않는가?

인간은 자기 자신을 바탕으로 해서 어떻게 살지를 결단해야 하는 존재다. **인간이 존재한다는 것은 그저 남이나 다른 것을 따라가는 것이 아니라, 자신이 어떻게 존재해야 하는지를 선택하고 결단하는 일이라고 하이데거는 말한다.** 그에 의하면 세상 만물 중에서 자신의 존재에 대해 문제 삼는 유일한 존재가 인간이다. 오직 인간만이 '나는 누구인가, 나는 어디에서 왔는가, 우주는 무엇인가, 만물은 인간과 어떻게 다른가' 등을 문제시하며 답을 찾는 유일한 존재라는 것이다. 이러한 인간은 자기와의 대화뿐 아니라 다른 사람들과도 대화를 나누는 관계 속에서 자신을 찾아 나간다. 이 같은 이중의 관계(나와의 대화, 다른 이와의 대화)를 어떻게 맺느냐에 따라 각각의 존재는 달라질 수밖에 없다. 또한 인간은 세상에 나올 때 던져진 환경이 다 다르다. 심지어 형제조차도 (비록 그 차이가 크지는 않지만) 태어난 시간과 경제적 상황 등이 다르다. 물론 형제가 아닌 사람들의 환경은 더 크게 차이가 날 수밖에 없다. 하물며 국가나 대륙이 다르면 어떠하겠는가. 이렇게 보면 변수가 3개가 된다. '나', '다른 사람', '환경'. 이 세 가지 변수가 어떻게 결단되느냐에 따라 인간의 모습이 결정된다.

하이데거는 인간이란 존재는 무차별적으로 있는 것이 아니라, 능동적 행위 때문에 있는 것이라 하면서 그것을 '가능 존재'라고 한다. 즉, 인간 개개인의 존재는 세 가지 변수에 대한 관계 맺음의 강도나 방식에 따라 상이하다는 것이다. 나 자신과의 관계 맺음(자신에 대한 믿음의 크기 등)이나 다른 사람과의 관계 맺음(타인과의 친밀성, 협조성, 상호 보완성 등)은 사람마다 차이가 있을 수밖에 없으며, 주어진 환경은 결단을 내리는 순간마다 매 순간 달라질 수밖에 없다. 그럼에도 세 변수 중 가장 중요한 것은 '나'란 변수이다. 생각해보면 나 외의 나머지 두 변수는 내 의지대로 움직일 수 없는 것들이다. 하지만 나는 나 자신이 움직일 수 있다. 그렇기 때문에 나에 대한 결단이 가장 중요한 것이다.

예카테리나는 운전자의 길을 간 반면, 표트르 3세는 승객의 길을 갔다. 예카테리나는 표트르가 내부적인 것을 간과하고 외부적인 요인에 치중했던 것을 반면교사 삼아, 내부의 결단을 단단하게 하면서 외부 환경을 효율적으로 이용해 나갔기 때문에 위대한 황제로 남게 되었다. 결국 인간의 위대함은 변화하는 환경 속에서 자신과 그리고 자기 주변과 관계를 맺으면서 내리는 결단의 크기에 따라 결정된다. 어제까지는 나 자신도 승객이었다. 이제는 주저하지 않고, 결단을 내리며 살아가려 한다. 그렇다고 해서 어렸을 적 꿈처럼 허무맹랑한 것들을 추구하고자 하는 것은 아니다. 나 자신을 조용히 지켜보면서 할 수 있는 일들을 조금씩 결단 주머니 속에 넣어가려 한다. 이것들이 쌓이다 보면 결국 나는 승객이 아닌 운전사가 되어 있지 않겠는가.

10 고향을 잃어버린 나그네
고향이 사라졌다

귀향 _ 은파

힘겨운 타향
낯선 얼굴들 사이로
깊은 고통을 뿜어내며
고향이 아닌 이 땅에서
목놓아 아우성치고,
성스러움이 사라진 땅을
떠나고자 하나
반기는 이 하나 없다

해가 중천에 뜬 어느 날
거친 들판을 내달리자
마음속 깊이 묻혀 있던
속삭임이 다가오고,
아주 먼 그곳 하늘에서
종달새가 노래하자
실핏줄처럼 얽혀있던
들샘들이 손짓한다

숲속 작은 길, 안갯속
굴뚝새의 무거운 눈꺼풀은
비밀 속으로

깨어나지 않아도 좋다
따뜻한 흙 내음과
어머니의 손길만 있다면.

친구들과 뒷산에 오른다. 정월 대보름이어서 그런지 일찍부터 보름달이 연못만큼 크게 떠 있다. 다들 오래전부터 준비해왔던 깡통마다 나뭇가지를 가득 채우고, 산 정상 아래 널찍한 들판에 모였다. 가장 나이 많은 형이 "하나, 둘, 셋"을 외치자 모두 깡통에 불을 붙이고, 열심히 돌린다. 힘차게 돌릴수록 불이 더 잘 붙게 되어 있다. 일렬로 서서 다 함께 노래도 부르고, 소원도 빌고 그러면서 전진한다. 마지막은 깡통을 힘차게 던진다. 될 수 있으면 불이 붙지 않을 곳을 향해서. 하지만 그중 한 개가 바짝 마른 잔디밭에 떨어진다. 깡통 속 불쏘시개가 여러 곳으로 튕겨 나오자 이곳저곳에 불이 붙는다. 너 나 할 것 없이 달려들어 불을 끈다. 쉽게 잡히지 않던 불길은 모두의 얼굴이 시꺼멓게 뒤범벅이 되었을 즈음에 잡힌다. 힘없이 주저앉아 한숨 쉬는 이들의 얼굴에는 웃음이 가시지 않는다.

한여름 밤, 잠이 오지 않아 마루에 누워 하늘에 있는 별을 세고 있었다. 언젠가는 '저 별을 다 세야지' 하지만 늘 세다가 숫자를 까먹고 만다. 심심한 것을 눈치챘는지 아버지가 함께 산에 가자고 하신다. 좀 어두컴컴했지만, 지금이 가장 좋은 시간이다. 산에 올라 손전등을 나무마다 비춰가며 레이더를 돌린다. 튼튼한 나무보다는 부러졌거나 넘어져서 힘없이 버티고 있는 나무들을 주로 찾아다닌다. 이렇게 열심히 손전등과 작고 예리한 눈을 돌리다 보면 조그마한 움직임도 재빨리 알아차릴 수 있다. 한 시간여 탐험 시간 동안 풍뎅이 한 마리밖에 잡지 못했지만 그래도 빈손이 아니니 나름 뿌듯했다. 집 근처에 이르렀을 때 풍뎅이가 들어 있는 깡통 속에서 '따다닥' 하는 소리가 계속 들렸다. 뚜껑을 열어보니 풍뎅이 날개 하나가 떨어진 것 아닌가. 나도 모르게 눈물을 펑펑 흘렸다. 날개 하나가 없으면 다리에 실을 묶어도 풍뎅이는 날아다니지 못하기 때문이다. 아버지는 눈물 머금은 조그만 아이를 안고 달랜다. 내일 다시 오자고. 내일은 매미도 함께 잡아주겠다고. 아이는 그제야 울음을 그친다.

아득한 시절의 기억인데도 가끔 한 번씩 이러한 꿈을 꾼다. 어렸을 적 기억과 꿈속의 상상이 겹쳐서 나타나기는 하지만, 그래도 깨어나면 옛 추억에 가슴이 먹먹해지곤 한다. 그 시절의 고향, 흙내음, 풍뎅이의 알싸한 냄새, 쥐불놀이 깡통의 불 향내, 노란 송홧가루가 가득한 우물, 아카시아 향이 가득한 술 항아리 등의 기억은 영원히 잊히지 않을 것 같다.

 고향이 그리워 가끔 휴양림이나 편백숲 등을 찾아다닐 때가 있
다. 운전하며 가다 보면 즐겁다. 조금 내린 차창 사이로 들어오는
깨끗한 공기가 그렇고, 푸르디푸른 하늘과 발을 담그면 금방 얼
어버릴 듯한 냇가의 물이 온몸을 즐겁게 한다. 하지만 뒷좌석에
있는 아이들은 밖을 바라보지 않는다. 둘 다 손에 있는 스마트폰
으로 게임을 하는 것인지는 모르지만, 서로 키득키득하며 시간을
잘도 보낸다. 경치가 좋으니 눈 좀 돌려보라 하면 창밖을 잠시 째
려보듯 하고, 이내 눈은 다시 스마트폰 화면 속으로 빠져버린다.
자연에 대한 감흥이라든지 추억이 전혀 없는 듯하다.

 한편으로는 안타깝기 그지없다. 요즘 아이들은 고향을 잃어버
린 아이들이다. 고향을 경험한 적이 없으니 자연에 대한 추억
이 있을 수 있겠는가. 병원에서 태어나 큰 닭장과 같은 아파트
에서 살면서 시멘트와 아스팔트만 밟으니 말이다. 학교 운동장
도 예전과 비교해 절반 규모로 작아진 데다가, 아이들을 보호한
다고 인조 잔디를 깐 운동장이 대부분이라 이곳에서도 자연 그

대로의 흙을 밟아보긴 어렵다. 여행을 가도 리조트에서 모든 것을 해결한다. 그러면 이 아이들의 고향은 과연 어디일까? 고향에 대한 향수가 애초부터 만들어질 수 없는 아이들의 현실이 참으로 안타깝다.

 하이데거는 현존하는 우리 인간들이 실향민의 삶을 살아가고 있다고 비판한다. 인간은 본래 고향에 거주해야 하지만, 뿌리인 고향을 잃어버렸다는 것이다. 하이데거에게 귀향은 '근원에 가능한 한 가까이 돌아감'을 의미한다. 결국, 그에 따르면 고향이 없어지면 인간의 근원에 대한 이해도 불가능하다는 것이다.

 그러면 이 시대는 어떻게 고향 상실의 시대가 되었는가? 하이데거에 따르면 현대사회는 기술 신화 속에 빠져버려 존재의 의미를 잃어버리고, 인간끼리도 서로가 도구가 되어버렸기 때문에 고향에서 멀어지게 되었다고 한다. 하이데거의 후기 저작에는 고향 회복이나 귀향을 권장하는 메시지들이 많다. 그는 고향을 회복하기 위해 들길에서 들려오는 자연의 소리에 귀를 기울이라고 말한다. 이러한 과정에서 인간 존재의 의미를 찾아 나갈 수 있다는 것이다.

기술 만능주의 시대를 사는 우리는 요즘, 아이들처럼 고향을 잃어
가고 있다. 저녁 식사 후에는 가족 모두가 스마트폰 한 개씩 들고
고개를 숙인 채 무엇인가에 몰두한다. 부부끼리도 침대에서 등을
대고 누워 조그만 스마트폰 속 세상으로 들어가 버린다. 가족은
필요할 때만 가족이다. 그 외의 것은 조그마한 스마트폰이 모두
제공해 준다. 정보도 주고, 재미도 주고, 편의도 제공해 준다. 그
러면서 점점 더 가족 간 대화는 줄어든다. 언젠가는 의사소통도
스마트폰으로만 하는 시대가 올지도 모른다. 이것은 하나의 사례
를 극단화한 것일 수도 있지만, 우리 삶은 모든 분야에서 이러한
방향으로 흐르고 있다.

인간을 편하게 해 준다고 나온 기술들이 인간 존재의 근간을 갉
아먹고 있으니 참으로 안타까운 일이다. 지금으로서는 이러한 위
기를 극복할 가능성은 보이지 않는다. 그러나 하이데거의 고향
에 대한 사유를 들여다보면, 희미하지만 하나의 길이 조금씩 보
일 것이다. 그러기 위해서는 우선 **스마트폰을 잠시 멀리하자. 아**

니 스마트폰이 없는 날을 정해서 실천해보자. 그렇게 해서 남는 시간에는 가까운 자연으로 들어가 보자. 이러한 과정이 조금씩 반복되다 보면, 아이들의 고향을 찾아낼 단서가 나타날 수도 있으니 말이다.

11 그녀는 달린다

우리를 악의 손아귀에서 벗어나게 하는 가장 강력한 무기는 겸손이다
by. 조나단 에드워즈

추방 _ 은파

갑자기 바빠진 일상
그녀는 바삐 움직였다.
태스크포스 조직도 급히 만들고
위탁 기관과 미팅도 하고
마을 주민들과 논의도 진행하느라
정신이 없을 지경이었다.
신발이 닳을 정도로 뛰었다.
잘하고도 싶었다.
토요일도 일요일도 출근했다.

아이들 얼굴을 본지 언제인지
밥도 챙겨주지 못하고
늘 저녁 식사를 배달시켜 먹는
아이들이 안쓰러웠다.
고 3 아이
학교에 가보지 못한 지도 꽤 되었다.

어느 날 위탁 기관 부서장이 목청을 높였다.
"태스크포스에 여자들만 있어 문제다."
"전공 분야도 맞지 않는다."
"홍보 팸플릿은 왜 이따위로 만들었냐?"
그보다 더 큰 사업을 20년 이상 해왔지만
이런 대우를 받은 일은 처음이었다.

"누구 백으로 이 사업에 참여했느냐?"
"갈 데가 없어서 자리를 만든 것 아니냐?"
하며 사업비도 제때 내려주지 않았다.
그러면서 사업 집행 속도가 늦다고 난리다.
갈수록 짖어 대는 컹컹 소리에
스트레스는 계속 쌓여만 갔다.

그들 뜻대로 사업을 반납할까도 했었지만
회사 입장도 있고 해서 더 열심히 했다.
"다 잘했다. 너무 잘하고 있다."라며
위탁 기관 직원들은 자기 부서장이
왜 괴롭히는지 자기들도 모르겠단다.

어느 날부터는 직원들도 같이 옥박질렀다.
불러서 가보면 부서장 눈치를 보며
죄인 취급하며 한술 더 떠 옥박지른다.
"왜 이따위로 밖에 못 하느냐?"
죽기보다 힘들었다.
차라리 죽고 싶었다.
그래도 더 이를 악물고 뛰었다.

짧은 시간 동안 일을 잘 끝냈다.
분야별로 여러 개의 상도 받았다.
그런데 개는 오히려 더 날뛰었다.
"너희 때문에 상을 더 받을 수 있었는데 그러지 못했다."
"이게 다 너희 때문이다."
다른 분야는 그녀의 업무 소관도 아니었다.
자기들이 잘 못 해놓고 또 난리다.
도대체 그들은 무엇을 하고 있었단 말인가.

어느 날 어금니가 부러졌다.
아침에 출근하다가 문 앞에서 쓰러져
병원에서 링거를 맞은 적도 있었다.
그런 생활이 계속되면서
아침에 눈을 뜨기가 무서웠다.

저녁엔 다음 날 걱정에 잠도 오지 않았다.
그래도 아이들을 보면 사랑스러워
눈물을 머금고 아침마다 꼭 안아 주었다.
"엄마 왜 울어?"
"무슨 슬픈 일 있어?"
그런 아이들을 좀 더 자라고 하고
출근하곤 했다.
'아침은 먹고 학교에 가는지?'
머릿속이 복잡해졌다.

갑자기 위탁 기관 부서장이 바뀌었다.
모든 상황은 변했다.
일상은 예전처럼 정상적으로 바뀌었다.
그런데도 마음은 계속 불안하였다.
불면증은 껌딱지처럼 떨어지지 않았다.
아침에 출근하는 것이 겁이 나기 시작했다.
회사 가는 게 무서웠다. 사람 만나는 게 무서웠다.
남편 설득에 병원에도 가보았다.
'공황장애...'

남편은 건강을 위해 회사를 그만두란다.
어떻게 해서 이 자리까지 왔는데
쉬었으면 좋겠다는 남편이 한편 얄미웠다.
약을 먹으면 잠시 마음이 편해졌다.
하지만 약발이 떨어지면 가슴은 다시 떨려왔다.

대화가 없어졌다.
남과 말을 섞는 것조차 힘이 들었다.
"인생 별것 있어?"
"그냥 부딪혀 보는 거지."
"건강을 잃으면 가족도 잃고, 인생도 잃는 거야."
"항상 당신 편인 거 알지?"
남편의 말에 눈물만 흘렸다.

함께 마음고생도 했고
한편 서운함도 있었지만
이렇게 말해주니 고마웠다.

용기를 내어 명예퇴직을 신청했다.
지금까지의 삶과 방향은 다르지만
새로운 삶을 결심하니
마음은 한결 편해졌다.
'세상에 산재한 개새끼들을
이제는 만나지 않아도 된다.'라고
생각하니 잠도 잘 오기 시작했다.

사기꾼, 늑대의 탈을 쓴 군상들이 스쳐 지나갔다.
여자가 뭐가 문제인데 하는 생각도 잊기로 했다.
이제 열린다.
새로운 시작이 열린다.
누군가는 그만둔다고 하니,
추방된 거 아니냐고 해서 맞받아쳤다.
'추방이 아니고 해방된 거다.'라고.
우리들의 그녀.
딸, 아내, 엄마인 그녀.

옮겨간 그 부서장은 지금도 모사를 꾸미고 있다.
그 사람은 지금도 존경받는 과장님이고
앞으로도 쭉 인정받는 과장님일 거다.
세상은 변하지 않는다.
검붉은 하늘에서 뜨거운 빗줄기가 내린다.
세상 속 미세먼지를 모두 닦아줄 기세로.

이 글은 직장 갑질 때문에 사표를 내게 된 사람의 사연을 듣고
「**추방**」이라는 제목으로 써본 내용이다.

우리 사회에서 가장 고질적인 문제는 '갑질'이라 단언해도 절대 과언이 아닐 것이다. 사회 곳곳에 갑질 문제가 만연해 있고, 우리 모두 부지불식간에 하는 행동들이 갑질에 해당하는 경우도 많다. 다만 그 행동들이 마치 옷을 입은 것처럼 우리 몸에 착 달라붙어 있어 갑질이라고 느끼지 못할 때가 많을 뿐이다. "모든 국민은 인간으로서의 존엄과 가치를 가지며, 행복을 추구할 권리를 가진다."라는 대한민국 헌법 제10조를 거론하지 않더라도, 인간의 존엄성은 자연법상의 당연한 권리에 해당한다. 그렇지만 현실적으로 인간이 사는 삶의 현장은 치열한 경쟁의 장이며 어쩔 수 없이 힘의 불균형이 발생하고, 그 구조 속에서 숙명적으로 갑과 을이 나타난다. 물론 이 숙명성이 갑질에 정당성을 부여하는 것은 아니다. 하지만 이 갑을 관계를 악의적으로 활용하는 사람이 있는 것이 현실이고, 어떤 경우에는 부모로부터 잘못 배워 본인도 모르는 사이에 갑질의 중심에 서 있기도 한다.

갑질 문제는 인류 탄생과 함께 모든 나라에서 항상 있었을 텐데, 유독 우리나라에서 더 심각한 형태로 나타나고 있는 이유는 무엇일까? 우선 중국으로부터 도입된 유교 사상이 그 원인 중의 하나라고 할 수 있다. 조선 시대에 꽃을 피운 유교는 군신 간 권력관계, 나이 차이에 의한 간접적 지배-피지배 관계, 성별에 따른 우열 관계 등을 심리적으로 강제한다. 유교는 730여 년간 한국인의 정체성을 형성하는 데 커다란 기여를 해왔지만, 조선 시대에 이르러 교리의 형식적 해석에 치중한 결과 오늘날의 갑질 문제를 심화시켰다. 즉 우리를 지배하는 각종 상하 관계, 투표에 의한 주권의 한시적 양도 관계를 수직적 권력관계로 착각한 정치적 지배 관계, 시험을 통해 공직을 부여받은 공직자의 사적 지배 관계 등에는 유교적 관계를 왜곡한, 근본적인 악의 축이 내재해 있다고 할 수 있다.

사상 결핍에 따른 정신적 천박함이 갑질의 원인이 되기도 한다. 역사적으로 보면 우리나라는 아쉽게도 우리만의 사상을 제대로 키워내지 못했다. 물론 시대별로 위대한 학자들이 있었지만, 대부분은 중국의 유교, 도교 사상 등을 수입해서 배워왔고 근현대 들어서는 서양철학을 받아들여 배웠다. 비록 자체적으로 키워낸 사상은 아니지만, 이러한 사상을 바탕으로 우리나라는 전 세계적으로 유례없는 경제성장을 이루어냈다. 그러나 사회 곳곳에 퍼져 있는 갑질 등의 고질병은 더욱더 커져만 가고 있으며, 이러한 부담이 점차 국가 경제에 짐이 되는 것도 사실이다. 지난 수십 년간 우리는 경제발전을 위한 기계들을 학교에서 집중적으로 양성해 왔다는 사실을 부인할 수는 없다. 어떻게 사는 것이 바른 삶인가 하는 사람됨 교육은 공교육에서 사실상 사라졌고, 공부하는 기계를 양성하는 데 집중하다 보니 우리의 사상적 결핍은 그야말로 심각한 상황에 이르렀다. 가슴이 없는 사람, 사유가 없는 사람, 이러한 사람들은 타인을 하나의 기계로 보고 마음껏 짓밟으면서 돈만 벌면 된다는 생각을 갖게 된다.

이 외에 우리 편이 아니면 따돌리는 '끼리끼리 문화'와 어려서부터 부모의 갑질을 보고 자라 자신도 모르는 사이에 갑질이 체화된 '유전적 갑질'도 갑질 문화의 큰 뿌리 중의 하나일 것이다. 그러면 이러한 갑질 문화를 어떻게 극복할 것인가. 참으로 어려운 문제다. 우리 사회 시스템이 전체적으로 바뀌지 않고서는 어떠한 것도 근본적인 처방이 될 수 없다. 하지만 그렇다고 손을 놓고 있을 수는 없지 않은가?

분노하라! 행동하라!

하이데거는 인간을 본질적으로 다른 사람과 더불어 살아가는 운명의 '상호 공동 존재'라고 본다. 인간은 타인과 그물처럼 얽히고설킨 관계 속에서 살아간다는 것이다. 상호 공동 존재는 서로 의식하면서 살아갈 수밖에 없으며, 이러한 관계 속에서 타인의 통치에 일정 부분 예속되기도 한다. 여기에서 하이데거는 개인의 결단을 요구한다. 타인과 더불어 살아가면서 어느 정도까지는 남의 시선을 의식해야 하지만, 인생의 중요한 국면에서는 참지 말고 결단을 하라는 것이다. 쉽게 설명해보면 상호 공동 존재의 예속 관계가 갑질에 해당하지 않으면 자신을 낮추고 따라야 하겠지만, 예속 관계가 우리가 흔히 말하는 갑질에 해당할 정도로 엄중한 상황이라면 결단을 내리고 자신을 최우선으로 하는 선택을 하라는 것이다. 그러면 이것만으로 한국의 갑질 문제를 단절시킬 수 있을까? 그렇지 않다. 교육시스템의 변화와 사회의 철학적 투자 확대만이 해결책이 될 수 있을 것이다.

우선 공교육의 정상화가 절실하다고 본다. 오늘날 많이 개선되었다고 하지만, 여전히 우리 교육은 시험을 잘 보는 기계를 양성하는 과정에서 벗어나지 못하고 있다. 이러한 구조에서 사람으로서 해야 할 도리와 타인에 대한 배려 등의 교육은 꿈도 꾸지 못한다. 흔히들 전인교육이 중요하다고 한다. 하지만 이는 구호에 그칠 뿐, 학교 현장에는 전혀 침투되지 않고 있다. 이 같은 상황을 개선하기 위해서는 국가가 먼저 움직여야 한다. 교육 자치란 명목 아래 교육감들에게만 맡겨 놓는 것은 국가가 당연히 해야 할 책무를 회피하는 것이다. 국가 최고 지도자의 전인교육에 대한 강력한 의지, 교육 관련 부처의 전인교육 로드맵 수립, 학부모의 의식 개혁을 위한 투자 확대 등이 병행되어야 성과를 거둘 수 있을 것이다.

성인을 대상으로 한 철학적 투자도 지속해서 확대해야 한다. 앞에서 살펴본 우리의 갑질 문화는 사유를 통하지 않고서는 근본적으로 해결할 수 없는 문제다. 하지만 기계적 학습을 받고 사회에 나와 있는 기성세대를 바꾸기란 쉽지 않다. 그러면 어떻게 해야 할까? 답은 간단하다. 사회에 산재하는 모든 조직(기업, 정부,

공동체, 종교 단체, 가족 등)에서 사유가 충만한 문화가 싹틀 때까지 국가적 관심을 기울이며 투자를 확대해야 한다. 그리고 각 영역에서 추진되고 있는 교육 투자 예산을 전반적으로 재검토하고, 이를 바탕으로 불필요한 예산을 절감해 사유에 대한 재교육 예산으로 편성했으면 한다. 이러한 투자를 통해 **자신에 대한 관점, 타인에 대한 관점, 국가와 사회에 대한 관점 그리고 세계와 우주에 대한 성인들의 관점을 재정립**했으면 한다. 내가 존중받듯이 타인도 존중받을 가치가 있으며, 인간이 존중받을 가치가 있다면, 자연과 우주의 모든 생명체도 존중받을 가치가 있다는 점을 확신하게 될 때 갑질이라는 병폐도 자연스레 소멸하지 않겠는가? 물론 이러한 실천이 쉽지는 않을 것이다. 하지만 지금 당장 이러한 논의를 시작하지 않는다면, 우리에게 다시는 기회가 주어지지 않으리라는 것도 확실하다.

12 부캐의 습격
나는 부캐인가? 본캐인가?

가짜 세상을 바람 속으로 _ 은파

여기저기 앞도 보지 않고
고개 숙인 채 무엇에 열중하는지
불러도 눈치채지 못하는 사람들

스마트폰 속 또 다른 세상
그곳은 나의 것일 수도 있고
아닐 수도 있는 세상이건만
왜 그 속에서 헤매는가

디지털이 우리네 삶을 삼켜버려
감정은 점점 메말라 가기에
인조인간만이 도로를 점령한다

하루만이라도 가짜 세상을 떠나
아이들 손을 다정하게 감싸 보자
눈을 감고 바람의 흐름을 느껴보자

몸속 모든 감각은 살아나고
전율이 전기처럼 흐를 때
문득 눈 앞에 펼쳐진다
생명이 깃든 신성들이.

예전에도 그랬지만, 요즘 가장 핫한 연예인을 들라면 단연 유재석일 것이다. 20여 년 가까이 국내에서 최고 전성기를 구가한 이후 서서히 바람이 잦아들 것으로 생각했는데, '부캐'와 함께 오히려 유재석 열풍은 더 거세지고 있다. 부캐란 원래 온라인 게임에서 주로 사용하던 계정이나 캐릭터 외에 새롭게 만든 '부 캐릭터'를 줄여서 부르는 말이지만, 요즘에는 미디어 시장에서 상황에 따라 다른 사람으로 변신해 원래의 자신과 다른 정체성을 보여주는 것을 말한다. 어떻게 보면 최근 화두인 '멀티 페르소나' 현상과도 일맥상통한다.

부캐 열풍에서 유재석을 **빼놓고** 얘기하기는 곤란하다. 개그맨인 그가 홀연히 '유플래쉬'로 나타나 드럼 열풍을 주도하더니, '유산슬'이라는 이름의 트로트 가수로 데뷔해 전국에 트로트 열풍을 일으켰다. 그 이후에는 유두래곤(유재석), 비룡(비), 린다G(이효리) 셋이 모여 '싹쓰리'라는 그룹을 만들었는데, 데뷔하자마자 한 방송국 음악프로그램에서 바로 2위를 차지하는 저력을 보여주기도 했다. 물론 '싹쓰리'의 흥행은 음악성보다는 재미를 중시하는 요즘 세대들의 구미를 반영한 것이라고 보아야 할 것이다.

 이뿐만이 아니다. 요즘은 돌리는 채널마다 부캐를 활용한 프로그램을 송출하고 있다. 너무 많은 부캐가 쏟아져 나오니 헷갈릴 정도다. 완성도와 재미 요소에 따라 그 수명도 천차만별이다. '둘째 이모 김다비', '캡사이신' '여은파' '할명수' 등의 부캐는 '유산슬' 열풍을 빠르게 모방하여 어느 정도 성과를 거두고 있지만, 이름도 기억하기 힘든 여러 부캐들이 유행에 따라 잠시 나타났다가 사라지기 일쑤다. 방송에 출연조차 못 하는 부캐도 허다하다.

 이러한 부캐 열풍은 연예인에게만 국한된 것은 아니다. 요즘은 일반인들도 부캐 활동을 자유롭게 펼친다. 유튜브 등 개인 방송 채널과 인스타그램 같은 SNS 채널이 이들의 주요 활동 매개체다. 정보통신 환경이 좋아지면서 아이들부터 80대 노인에 이르기까지 어려움 없이 부캐 활동을 할 수 있는 시대가 된 것이다. 어떤 이들은 많으면 10개 이상의 부캐 활동을 하면서 연예인 반열에 오르기도 한다.

 그러나 최근에는 이러한 부캐 활동의 부작용이 사회 문제로 떠오르기도 한다. 여러 부캐를 오가는 것이 직업인 경우는 상관없지만, 취미로 하는 경우가 문제다. 밤늦게까지 활동을 해야 하고 다른 사람의 반응을 모니터링하느라 잠을 설치는 사례도 많다. 스마트폰을 반드시 손 가까이에 두고 알림음이 울리면 반사적으로 집어 든다. 스마트폰이 잠시 손에서 멀어지면 불안증이 몰려들고, 회사에서는 피곤해서 일에 집중이 되지 않는다. 다른 사람들과의 사교 시간도 피하게 된다. 스마트폰 속 세상에 있는 자신의 부캐를 돌봐야 하기 때문이다.

이런 상태로 시간이 흐르면 슬슬 헷갈리기 시작한다. 내가 부캐인지, 아니면 스마트폰 속에 있는 아이가 부캐인지 말이다. 무작정 연예인을 따라 하면 안 되는 이유다. 그들은 원래 연기가 직업이고, 부캐 활동에 몰입하다가도 본래 자신의 정체성으로 쉽게 돌아오는 훈련이 되어있다. 하지만 일반인은 다르다. 부캐 활동에 잘못 중독되었다가는 본인의 정체성을 송두리째 빼앗길 수 있다.

하이데거에 따르면 세계에 대한 이해가 인간이 활동하는 모든 일의 기초가 된다고 한다. 개인들은 자유롭게 자신의 행로를 결정할 수 있는데, 이는 각자가 무엇을 할 수 있는지에 대한 이해가 기반이 되었기 때문이라는 것이다. 이러한 이해가 없다면 우리는 이 세계에서 아무것도 할 수 없을 것이다. **여기서 이해한다는 말은 무엇을 뜻하는가? 그것은 세계에서 내가 어떤 일을 할 수 있고, 어떤 일을 할 수 없는지 잘 알고 있다는 뜻이다.**

문서 작성에 사용되는 한글 프로그램을 생각해 보자. 한글 프로그램으로는 문자와 간단한 표를 자유자재로 만들 수 있지만 동영상은 만들 수 없다. 한글 프로그램을 쓰는 우리는 이미 이 사실을 알고 있다. 그래서 한글 프로그램을 주로 문서 작업에 쓰고 있다. 이러한 과정을 이해라고 할 수 있다. 우리는 선험적先驗的 이해가 있어 한글 프로그램을 목적에 맞게, 또 마음대로 쓸 수 있는 것이다.

그러면 이번에는 **이해가 결여된 삶의 예**를 들어보자. 부모의 갈등이 심해 어려서부터 불안 장애 증세가 있는 한 아이가 있다. 이

아이는 점점 부모와 대화가 적어지고 혼자 있기를 좋아하게 된
다. 사회성이 부족해 친구들과도 어울리지 못한다. 식사 시간에
도 자기 방에서 '혼밥'을 즐기곤 한다. 학교에 가면 그저 조용한
학생일 뿐이다. 너무 조용하기 때문에 친구들도 이 아이의 존재
를 거의 의식하지 않고 지낸다. 집에 돌아오면 아무도 모르게 가
면을 쓰고 온라인 1인 방송을 진행한다. 맨얼굴로 하지 못하는
말을 서슴없이 쏟아낸다. 거침없는 발언에 팬들이 점점 늘어나
기 시작하고, 아이는 그들의 가정 문제에 대해 상담도 진행한다.
그야말로 온라인 유명 인사가 된 아이는 지금껏 몰랐던 해방감
을 그곳에서 느낀다. 하지만 시간이 가면서 조금씩 악플러가 생
기기 시작하고, 스트레스로 인해 점점 방송 횟수가 줄어든다. 그
러다가 결국에는 채널을 폐쇄하고 새 채널을 열어 전혀 다른 사
람으로 활동을 시작한다.

충분히 있을 법한 사례다. 이 아이는 부캐에 대한 이해를 바탕
으로 온라인 활동을 했다고 할 수 있을까? 그렇지 않다. 부캐에
대한 이해가 가능하려면 본캐에 대한 이해가 선행돼야 하기 때문
이다. 즉 본캐를 이해하지 못하면, 부캐도 이해할 수 없다는 것이

다. 앞에서 하이데거의 이해란 세계 내에서 무엇을 할 수 있음과 할 수 없음을 아는 것이라고 했다. **본캐가 할 수 있는 것과 할 수 없는 것을 이해하지 못한 상태에서 시작한 부캐는 기본적으로 이해가 결여될 수밖에 없다**는 말이다.

그러니 부캐 활동에 나서기 전에 본캐인 자신에 대한 이해부터 확실히 하길 바란다. 내 존재가 기반이 된 부캐를 만들라는 말이다. 연예인이 아닌 이상 여러 개의 부캐도 필요 없다. 내 존재를 투영한 부캐의 숫자는 기본적으로 많이 만들 수가 없기 때문이다. 부캐없이 요즘 시대를 말할 수는 없을 것이다. 다만 기왕 부캐를 키운다면 자신의 정체성을 바탕으로, 한 개를 키우더라도 제대로 키우자. 그래야만 현실의 본캐와 온라인 부캐가 건강하고 평화롭게 공존할 수 있을 것이다.

4부 나는 혼자가 아니다

13 내가 머무는 곳은 어디인가?
나는 그냥 세계 속에 내던져진 존재이다

팔십억 개의 세계 _ 은파

태초에 둘이 있었다

아담의 세계
하와의 세계

둘의 세계 서로 연결되어
또 다른 세계가 열리고
무수한 시간 속에서
헤아릴 수 없는 세계들이
대지 위에 자리 잡았다

신비로운 세계들은
존재의 빛을 만방에 퍼트려
조화로움 속에서
하늘을 숭배하며 살았도다

왜 하나의 세계를 만들려
그리 애쓰는가
얼마나 지루하고 삭막한
세상인지 정녕 모르는가

다른 것은 다르게 놔두자

하나의 세계가 아닌
팔십억 개의 세계가 있다면
신성이 임재한 세상은
스스로 열릴 것이니.

코로나19 사태 초기에 한·중·일 등을 중심으로 한 동양권 국가보다 미국 등 서구권 국가에서 상상을 초월할 정도로 대규모 감염자가 나오자 처음에는 갸우뚱하는 사람들이 많았다. 미국만 하더라도 전 세계에서 단연 으뜸으로 확진자와 사망자가 쏟아져 나왔고, 서구권 국가 대부분이 같은 추세를 보였다.

이들 국가는 경제적 측면과 아울러 의료 시스템도 잘 갖춰진 선진국에 해당했기 때문에 상식선에서 이해하기가 어려웠을 것이다. 하지만 서구권 국가에서 이러한 현상이 발생한 것은 어찌 보면 당연한 결과였다. 동양권 국가에 비해 개인의 자유를 구속하기 어려운 역사적 현실, 마스크 착용에 대한 극도의 문화적 거부감, 일부 지도자의 잘못된 확신이나 신념, 노동 환경의 차이로 인해 공무원과 의료진 동원이 동양권 국가보다 어렵다는 점 등을 생각하면 그렇다는 말이다. 물론 이 외에도 더 다양한 요인이 있을 수 있으나, 개인적으로는 마스크 착용에 대한 인식 차이가 가장 큰 요인이 되었을 것으로 생각한다.

동북아 국가에서 코로나19가 먼저 확산하였다는 점은 일반적으로 알려진 사실이다. 중국에서 처음 시작되었고 한국과 일본에서도 한때 맹위를 떨쳤으나 소위 팬데믹의 처참한 상황까지는 이르지 않았었다. 반면 서구권 국가에서는 일단 감염자가 발생하고 나자 통제할 수 없을 정도로 짧은 시간에 급속하게 퍼져나갔다. 미국뿐 아니라 유럽 국가들도 상황은 마찬가지였다.

동서양을 막론하고 '사회적 거리 두기', '마스크 착용', '손 씻기' 등 코로나 3대 방역 수칙을 모르는 사람은 이제 없을 것이다. 이 3대 방역 수칙 중 서구권 국가에서 가장 논란이 된 것이 바로 '마스크 착용' 문제였다. 팬데믹 초기에 마스크 착용에 대한 서구권 사람들의 반발은 상상을 초월했다. 상황이 점점 심각해지자 정부에서 마스크 착용을 적극적으로 권장하였지만, 반대 시위가 일었을 뿐 아니라 개인들 간에도 마스크 착용을 권유하다가 총격을 당하는 사건이 발생하기도 했다. 이처럼 팬데믹 초기부터 정점에 이르기까지 미국 등 서구권 국가에서는 마스크 착용에 대한 반대가 많았고, 이로 인해 코로나19가 더욱더 확산하는 악순환이 계속됐다.

동양권 국가에서는 도저히 상상할 수 없는 마스크 논란이 왜 서구권 국가에서 발생했을까? 이는 문화 차이에서 기인했다고 볼 수 있다. 동양권 국가 사람들은 유교 문화의 영향으로 사람 눈을 똑바로 바라보는 것을 불손하다고 보았으나, 서구권 국가 사람들은 의사를 전달할 때 표정을 가장 중요하게 생각한다. 특히, 눈을 똑바로 바라보지 않고 얘기하면 상대방이 무엇인가를 속이고 있다는 생각이 깊게 각인되어 있다. 또한 이들은 범죄자나 병에 걸린 사람들만 마스크를 착용해야 한다는 편견도 가지고 있었기 때문에 마스크 착용에 대한 거부감이 컸을 것이다.

　이외에도 자유권과 평등권을 얻어내기 위한 투쟁의 역사가 있었던 서구권 국가의 상황을 이해할 필요가 있다. 중세 시대가 붕괴한 이후부터 프랑스 대혁명 시기까지는 자유권과 평등권을 쟁취하기 위한 민중의 움직임이 용틀임 치고 있었으며, 프랑스 대혁명에 이르러서는 그동안 누적되었던 힘이 그야말로 본격적으로 분출되었다. 이러한 역사적 배경 때문에 마스크 착용 강제도 개인의 자유권을 구속하는 것으로 보았을 것이 자명하다.

그렇다면 동양권 국가에서의 자유권은 어떻게 확보되었을까? 유교 문화가 지배하던 이들 국가는 강력한 왕권을 바탕으로 한 왕조시대가 1900년대 이전까지 유지되었기 때문에, 개개인의 자유권은 그다지 강조되지 않았다. 하지만 산업혁명 시대의 서구 국가들이 축적된 힘을 바탕으로 다수의 동양권 국가를 식민지로 지배하게 되면서 서구적인 자유권이 서서히 동양권 국가에 이식되기에 이르렀다.

　이렇게 서구권 국가의 자유권은 인민의 자발적 힘을 통해 쟁취된 것이지만, 동양권 국가에서의 자유권은 서구적 제도를 이식하는 과정에서 안착되었기 때문에 두 사회의 뿌리에 자리 잡은 자유권에 관한 생각에는 차이가 있을 수밖에 없다. 이러한 인식의 차이로 인해 서구권 국가에서는 정부가 마스크 착용을 밀어붙이기 힘들었을 것이다. 따라서 이러한 역사적 차이점을 염두에 두지 않고 무작정 서구권 국가를 비판한다면 역으로 동양권 국가에 대한 서구적 편견에 대항할 논리가 빈약해질 수밖에 없다.

동서양을 막론하고 전 지구적 현대 사회를 한마디로 표현하면 과학기술 중심 사회라고 해도 과언은 아닐 것이다. 과학철학의 역사는 소크라테스, 플라톤, 아리스토텔레스 시대의 이원론적 세계관에 그 뿌리를 두고 있지만, 과학철학이 본격화된 것은 프랑스의 경험론적 과학철학자 베이컨과 독일 합리론의 선구자 데카르트에 그 근거를 두고 있다. 이러한 과학철학에 의하면 세계는 그야말로 과학적 세계 그 이상도 이하도 아니다. 세계를 구성하는 모든 물질은 원자와 전자로 구성되어 있으며, 이러한 구성 요소들이 결합하여 지구상의 모든 생명체, 지구, 태양계, 우주를 이루고 있다는 것이다. 이렇게 본다면 세계뿐 아니라 모든 사물은 원자와 전자의 총합 외의 다른 것이 아니게 되며, **과학적 사고방식에 따르면 세계에 존재하는 모든 것은 과학적으로 설명이 가능한 것이 된다.**

　그러면 우리는 과연 이러한 세계 관념으로 사회의 모든 현상을 설명할 수 있는 걸까? 그렇지 않다고 본다. 물론 물리적인 실험을 할 수 있는 현상은 설명이 가능할 것이다. 그렇지만 우리가 겪고 있는 각종 사회문제는 과연 어떻게 설명할 것인가? 요즘에도 사회과학이라는 이름으로 각종 사회현상을 과학적으로 설명한다고는 하지만, 이는 통계적으로 어느 정도의 설명이 가능한 것이지 근원적인 해답을 제시해 주지는 못 한다는 것을 우리는 잘 알고 있다.

그러면 **하이데거가 말하는 '세계'**를 살펴보자. 하이데거는 세계는 물리 과학이 설명할 수 있는 그런 성질의 것이 아니라고 말한다. 세계는 물리적인 것들의 총합이나 다른 거창한 것이 아니라 우리가 처해있는 '그곳'이라는 것이다. 쉽게 말해 그냥 우리에게 주어진 상황 속에서 우리가 관계하고 있는 모든 환경이 세계라는 것이다.

우선 나를 생각해 보자. 나는 가족이라는 울타리 안에서, 특정한 지역에서, 특정한 국가에서, 특정한 문화권에서 살고 있다. 이렇게 둘러싸여 있는 나만의 세계는 다른 사람들과는 모든 면에서 다를 수밖에 없다. 물론 공통적인 세계라는 울타리가 있으므로 일정 부분은 관념이라든지 생활방식에 있어서 유사한 행태를 보이기도 하지만, 나와 똑같은 개인 역사를 가지고 있는 사람은 전 세계에 아무도 없다는 점을 깨달아야만 한다. 이렇게 본다면 지구상에 존재하는 사람의 숫자만큼 세계가 존재함을 알 수 있을 것이다. **세계는 물리적 총합도 아니고 누구에게나 똑같이 존재하는 그 무엇도 아닌, 개개의 인간이 모두 다르게 가지고 있는 무엇이라고 하는 것이 맞겠다.**

중세 시대의 시골 마을을 떠올려 보자. 이 시기, 이 장소에서 살았던 사람들을 지배하던 것은 교회의 종탑이었다. 새벽에 종이 울리면 일어나 일과를 시작하고, 점심때 종이 울리면 점심 식사, 저녁에 종이 울리면 일과를 마무리하게 된다. 물론 그 중간에 예배 종이 울리면 기도도 올릴 것이다. 이렇게 이 시기의 사람들은 교회 종탑에 의지하여 살아갔지만, 요즘 사람들은 휴대폰 알람으로 아침을 시작하고 각각이 속한 사회의 시간표대로 움직이다가 저녁이 되면 다시 집으로 돌아와 가족과 함께 식사를 하거나 방송을 시청하면서 하루 일과를 마무리한다. 이 둘의 세계가 과연 똑같다고 할 수 있을까? 그렇지 않다. 이들은 전혀 다른 세계를 살아가고 있는 사람들이다. 세계가 물리적인 것들의 총합이라면 이렇게 다른 세계의 차이를 어떻게 설명할 것인가?

우리가 사는 세계의 관점으로는 도저히 납득이 가지 않는 일이지만, 이처럼 그들과 우리의 역사적·문화적 차이를 고려한다면 서구인들의 마스크 착용 거부 심리를, 우리와 다른 그들의 세계를 조금은 이해할 수 있게 된다. 대한민국 땅에서 현재의 시대를 사는 우리는 중세 시대의 십자군 기사나 고대의 연금술사는 될 수가 없다. 우리는 단지 현재 세계를 구성하고 있는 주어진 상황 속에서 가능한 것들에 맞춰 우리 삶의 방향을 정할 뿐이다.

세계는 과학자들이 얘기하는 물리적인 것들의 총합이 아니라, 지구상에 존재하는 사람들의 숫자만큼 존재한다는 것을 이제 우리는 인정해야만 한다. **지구상에 80억 명의 인구가 있다면 80억 개의 세계가 존재한다는 것을 인정해야 한다**는 말이다. 세계를 이렇게 본다면 모든 사람이, 모든 국가가, 모든 문명이 왜 다를 수밖에 없는지를 이해하고 받아들이게 될 것이다. 이제는 세계 속에 있는 모든 것들이 서로 다르다는 것을 인정하자. 우리 사회뿐 아니라 전 세계가 조금 더 평화로운 세상으로 바뀌는 그날까지.

14 내 삶은 내 것인가?

나는 내 삶을 사는 것일까?

가면 _ 은파

지나가다 보았네
나 아닌 나를
나 같은 너를

같은 옷을 입고
같은 방송을 보면서
다른 이 흉내 내기에 바쁜
모조품만 있는 세상

모두 같은 줄도 모르고
도도한 척 서 있지만
다른 이의 삶을
살고 있다는 것을
진정 알고나 있는지

모든 것을 태워서라도
아무도 아닌 그가 아닌
세상 속 하나뿐인 나를
진리 속에서 찾아보자.

요즘 학생들은 학교 급식을 당연한 것으로 생각하겠지만 예전에는 등굣길을 오가는 학생들 손에 책가방과 도시락통이 함께 들려있었다. 지금 생각하면 웃픈 일인데, 그 당시에는 늘 도시락 반찬 때문에 고민이 많았었다. 모두 힘들게 살던 시절이었기 때문에 반찬이라고 해보았자 뻔했다. 대부분 김치에 콩자반이나 단무지가 일반적이었다. 이때는 소위 '있는 집' 아이들이 도시락 반찬 유행을 선도했다. 그들이 소시지를 싸 오면 소시지를 뒤늦게 싸가고, 햄을 싸 오면 또 따라서 햄을 싸 가고 이렇게 늘 뒤따라가기 바빴다.

도시락만이 아니었다. 당시에도 '나이키'나 '프로스펙스' 등 브랜드 신발이 유행했고, 있는 집 아이들은 옷도 '인디언' 같은 상표를 주로 입었다. 도시락은 쉽게 따라 할 수 있었지만, 신발이나 옷은 경제력의 차이로 쉽게 따라잡지 못하고 부러워했던 기억만 가득하다.

지금 생각해 보면 나 자신의 '비교의 역사'는 그렇게 시작된 것 같다. 이러한 역사는 요즘이라고 해서 크게 달라지지 않았다. 비

교 대상이 신발이나 옷 등이라는 점은 여전하지만, 거기에 '희귀
템'을 과시하려는 욕구가 추가된 것으로 보인다.

2019년에 업무차 제주도를 방문한 적이 있었다. 하루가 지나고
비행기 시간에 맞춰 공항에 가려고 준비하고 있는데 갑자기 딸에
게서 전화가 왔다. 스타벅스 때문이었다. 유채꽃을 디자인에 활
용한 제주도 스타벅스만의 MD 상품(기획상품)이 있으니 사다 달
라는 것이었다. 이유를 물으니 주변 친구들은 모두 제주도 스타
벅스 MD 상품을 가지고 있는데 이를 갖고 있어야만 대화가 되
고, 소위 '꿀리지' 않는단다. 유치하다는 생각도 들었지만 간절하
게 부탁하는 딸아이의 목소리를 외면할 수 없어 빠듯한 시간을
쪼개서 딸아이가 원하는 상품을 구매했다. 지금도 그 물건을 받
고 행복해하던 딸아이의 얼굴이 생생하다.

2018년 평창올림픽은 수많은 이슈를 몰고 다녔다. 북한 선수단
이 참여하여 남북 간 화합의 장이 펼쳐졌고, 여자 아이스하키팀
의 경우는 남북 단일팀으로 출전하여 화제를 뿌리기도 하였다.
1,218대의 드론이 펼친 드론 쇼 또한 많은 이의 주목을 받았다.

이외에도 더 많은 이슈가 있었지만, 그중에서도 온 국민의 애간 장을 태운 것이 있었으니, 그것은 다름 아닌 '오리털 롱 패딩' 열 풍이었다. 살아있는 동물의 털이 아니라 죽은 거위의 털로 제작 한 것이 동물보호 이슈와 맞물려 선풍적인 인기를 끌었고, 가격 까지 저렴해 온라인 스토어가 마비되는 상황까지 벌어졌다.

이처럼 유행이라는 바람은 시대를 불문하고 항상 불고 있으며, 이를 따라잡기 위해 전전긍긍하는 사람들도 많은 것이 현실이 다. 유행에 맞춰 한껏 멋을 부린다고 해서 나 자신이 달라지는 것 도 아닌데 말이다. 하지만 유행이라는 것은 금세 지나가고 새로 운 유행이 곧 찾아온다.

우리는 흔히들 자기 결정에 따라 주도적으로 자신의 삶을 살아 간다고 착각한다. 물론 이것이 '착각'이라는 주장을 반박하는 사 람도 많을 것이다. 그렇다면 우리 삶의 과정에서 하루를 떼어내 어 생각해 보자. 다음은 평균적인 사람들의 일상을 예로 든 것이 다.

저녁에 퇴근하면 자신이 좋아하는 스포츠나 드라마 등을 보면서 하루를 마감하고, 아침에 일어나 뉴스나 신문 등을 보면서 세상이 돌아가는 것을 파악한다. 출근 후에는 일에 몰두하지만, 휴식 시간에는 방송에서 본 내용을 이야기하며 공감대를 형성한다. 쇼핑을 좋아하는 사람들은 홈쇼핑 채널을 통해서 옷이나 신발 등을 구입하고 지인들과 정보를 공유하며 서로의 취향을 맞춰 나가기도 한다.

여기에서 생각해 볼 것이 있다. **내가 말하는 것이 과연, 내가 말하는 것일까 하는 문제**이다. 우리는 어쩌면 방송이나 뉴스가 머릿속에 심어준 내용을 따라 말하고 있는지도 모른다. 물론 남들이 말해주는 내용을 기억했다가 재방송하는 때도 있을 것이다. 내 차림새도 마찬가지다. 나는 내가 입은 옷을 주도적으로 선택했다고 생각하지만, 기업의 제품 광고가 뇌리에 깊이 각인되어 습관처럼 구매했을 수도 있다. 어쩌면 제품의 좋고 나쁨에 관계없이 기업 광고가 만들어 내는 이미지를 사고 있는 것인지도 모른다.

물론 이러한 방식은 우리에게 편리성을 제공한다. 고민 없이 대화의 소재를 얻고, 돌아다니며 정보를 파악하는 수고 없이 물건들을 손쉽게 구할 수 있기 때문이다. 하지만 이러한 삶은 내가 선택한 것이 아니다. 사회가 이렇게 나를 길들였기 때문에 나도 모르게 그냥 그 삶 속으로 빠져 버린 것이다. 이렇게 살아간다면 죽음을 앞두고 과연 후회 없이, 주도적으로 '내 삶'을 살았다고 자신 있게 말할 수 있을까?

하이데거는 자신의 삶을 주도적으로 끌고 가는 대신 다른 이의 삶을 따라가는 사람을 **'세인(世人)'**이라 부른다. 우리는 세인이 즐기듯이 같이 즐기고, 세인이 보고 판단하는 것처럼 문학과 예술을 소비하고 판단한다고 한다. 또한 우리는 세인이 물러서듯이 '군중'으로 물러서기도 하고 세인이 격분하는 것을 보고 덩달아 격분하기도 하는데, 이러한 삶의 특성을 하이데거는 **'세인의 일상성'**이라고 말한다.

종합해보면 우리는 나 자신의 삶이 아닌 세인의 삶을 일상적으로 살아간다는 말이 된다. 결국 나는 나 스스로 존재하지 못하고 남의 삶 속에 존재하는 것이다. 이러한 현상은 위에 언급했던 '비교의 역사'에서 기원했을 것이다. 남보다 뒤떨어지지 않도록 같은 것을 보고, 같은 것을 먹고, 같은 것으로 꾸미면서 말이다. **그러면 이러한 '세인의 일상성'을 벗어나서 나 자신의 삶을 주체적으로 살려면 어떻게 해야 할까?**

우리는 태어나면서부터 세인의 삶을 살아가게끔 길들었기 때문에 이를 벗어나는 것은 결코 쉬운 일이 아니다. 그렇다고 계속 그렇게 살아가기엔 우리의 삶이 너무도 초라해진다는 현실이 숙제로 남는다. 이를 극복하려면 **자신의 삶을 냉철하게 되돌아보며 사유의 힘을 키워야 한다.** 그럼 사유의 힘은 어떻게 길러야 할까? 기술 중심 시대인 오늘날 인문학의 중요성은 상대적으로 경시되고, 사유의 힘을 키우는 일도 점점 어려워지고 있다. 최근 들어 인문학이 유행처럼 떠오르다 가라앉기를 반복하고 있지만, 개인 삶의 정체성 회복을 위한 도구로 인문학만큼 훌륭한 도구는 없다.

특히 넓은 인문학의 세계에서도 철학자 한 명은 반드시 만나보라고 권장하고 싶다. 물론 다양한 철학자를 만나려고 노력하는 것도 좋다. 그럼에도 한 명을 추천하는 이유는, 하나의 사상에 깊

숙이 들어가다 보면 자연스럽게 다른 사상과도 연결되기 때문이다. 예를 들어 하이데거는 서양철학 2,000년 역사와 꾸준히 투쟁해온 학자였기 때문에 그를 연구하다 보면 자연스럽게 다른 학자들의 논리도 습득할 수 있다.

어렵다고 생각하지 않았으면 한다. 하루 이틀, 1~2년으로 해결될 문제가 아니므로 오히려 꾸준히 해나간다는 마음만 있다면 누구라도 가능하다. 하루에 한 페이지, 아니면 일주일에 한 페이지를 넘기더라도 일단 시작하자. 당신의 위대한 첫걸음은 그렇게 시작되는 것이다.

대추 한 알 _ 정석주

저게 저절로 붉어질 리는 없다
저 안에 태풍 몇 개
저 안에 천둥 몇 개
저 안에 벼락 몇 개

저게 저 혼자 둥글어질 리는 없다
저 안에 무서리 내리는 몇 밤
저 안에 땡볕 두어 달
저 안에 초승달 몇 날이 들어서서
둥글게 만드는 것일 게다

대추야
너는 세상과 통하였구나!

최근 장석주 시인의 「대추 한 알」이라는 시를 보면서 많은 생각을 했다. 대추를 통해 세상 이치를 재치 있고 엄중하게 표현한 시인의 의도는 무엇일까? 우리 선조들은 여러 과일 중에서도 대추를 가장 중요하게 여겨 제사상 맨 왼쪽에 올려놓곤 했다. 또한 예전에 먹을 것이 없었던 시절에는 대추가 한약재에 들어가 서민들의 건강을 챙기는 데 중요한 역할을 할 정도로, 대추는 우리에게 친숙한 과일이기도 하다. 아마 이런 의미에서 장석주 시인은 대추를 소재로 세상을 설명하려 한 것이 아닌가 싶다. 시인의 말처럼 대추 한 알에는 우리가 사는 세계가 응축되어 있을 것이다. 이러한 시각에서 본다면 세상에 존재하는 모든 존재는 그 존재 자체만으로도 의미가 있는 것이다. 하지만 시인의 이러한 위대한 언명은 기술 만능주의 시대를 맞아 그 존재의 힘을 조금씩 잃어가고 있는 듯하다. 안타깝기 그지없는 일이다.

현대는 기술 시대라 해도 과언이 아니다. 이러한 기술 시대는 근대 서구 형이상학을 통해 확립된 인식이 세계적으로 보편화하는 과정에서 필연적으로 등장할 수밖에 없는 운명이었다. 물론 동양 사회도 이러한 흐름에 합류하게 되었고, 기술 시대가 극단화되면서 기술이 오히려 인간을 위협하는 상황에 처하게 되었다.

기술 시대의 위험은 어디에서 오는가? 우선 자연 자원의 무분별한 약탈과 굴착, 환경오염으로 인한 삶의 터전 상실, 인공지능에 의한 일자리 위협 등을 기술 시대의 위험요인으로 꼽을 수 있겠다. 최근에는 이러한 기술이 인간의 생존과 안전뿐만 아니라 인간 존재의 본질에 대한 위험으로 떠오르고 있다. 인간이 생물학이나 자연학의 대상이 아니라, 고유성과 독자성을 갖지 못한 채 거대한 기술 체계 속에서 한낱 기능인으로 전락했다는 사실이야말로 가장 두려운 현실이다.

2016년 알파고와 이세돌이 벌인 세기의 바둑 대결을 기억할 것이다. 총 5회의 대국에서 이세돌이 한 번 이긴 것 자체가 화제가 될 정도로, 인공지능 기술은 그 끝을 모르고 진화하고 있다. 최근에 만들어진 알파고 후속 버전들을 보면 바둑으로 인공지능을 이길 인간은 이제 지구상에 없을 거라는 생각이 든다. 많은 이들이 장기나 체스까지는 인공지능이 우위를 점할 수도 있다고 생각했지만, 수많은 경우의 수가 있는 바둑에서도 기계가 인간을 이길 수 있을 거라고 상상한 사람은 많지 않았다.

물론 인공지능이 바둑에서만 활약하는 것은 아니다. 인공지능을 통해 소비자 구매 패턴을 지속적으로 축적해온 아마존은 소비자의 구매 계획을 당사자보다 더 정확하게 파악하고 있고, 유튜브로 동영상을 열 편 이상 본 사람에 대해서는 그 성격이나 취향 등을 유튜브가 가족보다 더 자세히 알고 있다고 한다. 이처럼 우리의 삶 모든 곳에 인공지능이 자리 잡아가는 현실을 보면 한편으로 걱정이 앞선다.

가끔 이런 상상을 하곤 한다. 인공지능이 인간처럼 스스로 생각하고 판단하는 단계까지 오면 어떤 일이 벌어질까 하는 상상 말이다. 만약 인간들이 대규모 전쟁을 벌인다면, 인간들이 지금과 같은 생활 방식을 버리지 못하고 환경을 지속해서 파괴해 나간다면, 인간들 때문에 기후 위기가 심화하여 지구가 감당할 수 없을 정도가 된다면 인공지능은 생각할지도 모른다. 지구의 가장 큰 위협은 인간이며 인간이 지구상의 가장 큰 해충이라고. 그런 결론을 내리고 나면 영화에서처럼 인간 말살 작업을 벌일지도 모르는 일이다. 너무 극단적인 생각이라고 할 수도 있겠지만, 만에 하나 이런 일이 정말 발생한다면 인류 최대의 위기가 될 것이다.

EU가 '로봇시민법'에 받아들인 **아이작 아시모프의 로봇 3원칙**[1] 이나 **구글의 인공지능 개발 7대 원칙**[2]대로 인공지능을 개발해 나 간다면 인류에게 위협이 되지 않는다고 주장할 사람도 물론 있을 테다. 하지만 완벽해 보이는 3원칙을 준수한다고 해도, 구글이나 테슬라의 자율주행 차량 사고에서 보듯이 판단의 오류가 발생할 수 있는 변수는 예상외로 많다. 또한 구글의 6대 원칙은 윤리에 초점을 두고 있는데, 윤리라는 것도 결국은 사회에서 발생하는 구체적인 사건과 결합하면 쉽게 판단할 수 없는 영역이기 때문에 이 또한 완전무결한 원칙으로 보기는 어렵다.

지금은 인간의 기술로 인공지능을 얼마든지 통제할 수 있다고 생각할 수 있겠지만, 사람처럼 생각하고 판단하는 인공지능이 개 발된다면 인간이 정한 원칙으로는 한계가 있을 수밖에 없다. 인 간만 진화하는 것이 아니라 인공지능도 진화할 수 있다는 것을 우리는 항상 생각해야만 하고, 인공지능이 인간에게 유익한 방향으로만 발전해 나갈 것인지에 대한 진지한 고민도 필요하다.

하이데거는 기술이란 희망이 아니라 위협을 제공한다고 말한다.
그에 따르면 기술 시대에는 사물뿐 아니라 인간도 하나의 부품이
나 현품에 지나지 않는다. 여러 학자들은 기술의 중립성을 강조
한다. 즉 기술을 사용하는 사람들이 중요하고, 기술은 이에 맞춰
자신의 길을 찾아 나간다는 것이다. 이에 반해 하이데거는 기술
은 결정론적 숙명을 가지고 있다고 본다. 기술이란 원래부터 인
간에게 종속되지 않고, 인류를 종말의 길로 끌고 가는 성질을 가
지고 있다는 것이다.

지금의 코로나19 사태나 기후변화 위기 등 기술 중심 사회가 직
면한 현실을 보면, 하이데거의 예언이 점점 현실화하고 있다는
생각이 든다. 특히 현재의 추세대로 인공지능 기술이 개발되어
나간다면 21세기가 끝나기 전에 우리는 영화 속의 '터미네이터'
를 직접 대면하게 될지도 모를 일이다.

이러한 끔찍한 미래를 피하기 위해서는 우리의 사고방식과 생

활 방식의 모든 부분을 근본적으로 재검토해 보아야 한다. 노장사상 속의 물아일체物我一體 사상과 그리스 시대의 '테크네 technē' 시원에 감추어져 있던 '포이에시스' 정신의 회복이야말로 기술 시대의 위험을 극복하는 좋은 대안이 될 수 있다고 하이데거는 말한다. 여기서 '테크네'는 현대의 '예술'로, 포이에시스는 시작詩作이나 시학詩學으로 볼 수 있을 것이다. 하이데거는 인간의 창조적 원형이 유일하게 남아있는 예술성이 회복된다면 기술 문명의 수레바퀴 방향을 바꿀 수 있다고 보았다. 물론 예술 자체도 주문 생산방식으로 위기를 맞고 있지만, 작품의 창작 과정 속에는 진리가 포함되어 있으므로 현대 기술의 위험을 극복할 수 있는 실마리를 그 안에서 찾을 수 있다고 본 것이다.

하이데거의 말이 아니더라도 우리는 이미 기술 시대의 위험성을 충분히 목도하고 있다. 그렇지만 그 위험을 극복하기 위한 대안은 아직 알지 못한다. 하이데거가 말했듯 창작 과정 속에서 진리를 찾아볼 수도 있겠지만, 현대 사회를 사는 우리에게는 그 과정이 지난할 수밖에 없을 것이다. 하지만 그렇다고 손 놓고 있을 수는 없지 않은가.

개인적으로는 속도를 포기하는 과정에 정답이 숨어 있다고 본다. 조선 시대 사람들은 지방에서 서울까지 걸어가면서 크게 불편하다고 생각하지 않았을 것이다. 그들의 머릿속에는 자동차나 기차 등의 개념이 아예 없었기 때문이다. 또한, 농업시대에는 모내기할 종자를 겨우내 보관했다가 다음 해에 그것으로 농사를 짓고, 가을이 되면 추수를 하는 생활이 대를 이어 반복되기 때문에 미래라는 개념은 고작해야 1년 정도 후를 의미했다. 하지만 현대를 살아가는 사람들의 미래라는 개념에는 1년 뒤뿐 아니라 퇴직 후부터 죽을 때까지, 그리고 자식들의 미래까지 들어있으니 살아가는 일이 늘 팍팍할 수밖에 없다. 잠시라도 방심하면 삶의 뿌리가 송두리째 뽑혀버릴 수 있기 때문이다. 하루하루가 미래를 위한 전전긍긍의 시간이라고 볼 수도 있겠다.

이렇게 생각하면 속도를 포기하는 것이 왜 중요한지 어렴풋이 보인다. 우리는 행복을 위해 살아가지만, 기술 시대가 정신적 행복은 주지 않는다는 사실을 이미 알고 있다. 컴퓨터가 등장하고 나서 일이 줄어들기는커녕 더 늘어나기만 했고, 스마트폰 때문에 퇴근 후는 물론 주말에도 끊임없이 일해야 하는 상황에 처해있다. 매스미디어의 발전으로 전 세계 뉴스를 실시간으로 보고 있지만, 우리가 과연 그 모든 내용을 다 알 필요가 있을까? 그렇지 않은 경우가 대부분일 것이다.

　이러한 예에서 보듯이 **기술의 발전은 우리에게 편리함은 주었을 지언정 행복은 주지 못하고 있다. 그렇기 때문에 기술이 제공하는 속도에 대한 생각의 전환이 필요하다.** 인간성 회복과 치유를 위한 진리의 과정을 지금 시작하기엔 이미 늦었을 수도 있다. 그렇다고 분명 종말로 가는 것을 알면서도 아무것도 하지 않는다면, 우리에겐 암울한 미래만 있으리라는 사실은 자명하다. 예술을 통해 진리를 획득하는 방식이 아니어도 좋다. 기술 시대의 위협을 제대로 인식하고 개개인이 조금씩 변화를 모색한다면 분명 거대한 물결이 뒤따를 것이다. 무엇을 해야 할지 우리 대부분은 알고 있다. 이제 남은 것은 실천뿐이다.

[1]　1. 로봇은 인간을 해칠 수 없다.
　　　2. 1에 어긋나지 않는 한 인간의 명령에 복종한다.
　　　3. 1과 2에 어긋나지 않는 한 자기 자신도 지켜야 한다.

[2]　1. 사회적으로 유익하고
　　　2. 편견을 강화하거나 만들어내는 것을 피하고
　　　3. 안전을 기반으로 테스트 및 제작하며
　　　4. 사람들에게 책임을 질 수 있고
　　　5. 프라이버시 디자인 원칙을 포함하며
　　　6. 과학적 우수성을 높은 기준으로 유지하고
　　　7. 이 같은 원칙에 부합하는 용도로만 사용한다.

16 유발 하라리의 사자 인간

신은 내 마음속에 있다

숲길 _ 은파

숲은 말없이 길을 내어
나그네 꿈을 이어주고
품속 들짐승들에게
황금가지를 선사한다

그곳엔 아무도 모르는
신성한 세계가 있고
숲의 정령 노랫소리에
충만한 힘들이 깨어난다

숲이 있어 길도 있다

초목이 잠들어 있을 때
맨발로 예감하면서
걸어보자

은혜로운 자연은
쉬고 있는 순간에도
그대 영혼에
불을 붙여 주리라.

살아가면서 신에 대해 생각해 보지 않은 사람은 거의 없을 것이다. 인간에게 내려진 영원한 숙제처럼, '신이 있느냐 없느냐'의 문제는 오래도록 우리를 따라다녔다. 신은 과연 있는 것일까?

초등학교 시절 교회에 다녔다. 지금 생각해 보니 침례교회였다. 부모님 모두 일하셨기 때문에 대부분의 시간을 친구들과 보냈고, 자연스레 교회도 같이 다니게 되었다. 그때의 기억 한 토막을 지금도 잊지 않고 있다.

당시에는 같은 내용을 열 번 또는 스무 번 써오는 국어 숙제가 많았다. 어느 일요일 아침, 친구들이 나와 교회에 함께 가려고 집 밖에서 기다리고 있었다. 총 스무 번을 써야 하는 국어 숙제를 열 번밖에 쓰지 못한 상황이어서 기다려 달라고 사정했지만, 친구들은 오래 기다리지 못하고 먼저 출발해 버렸다. 그런데 숙제 공책으로 눈을 돌려 다시 세어 보니 스무 번이 다 쓰여 있는 게 아닌가. 어린 마음에도 그것은 하나님의 기적이 분명했다. 나의 간절한 마음에 하나님이 응답해 주신 것으로 생각하며 교회로 출발했던 기억이 지금도 생생하다.

시간이 흘러 중학생이 되었다. 친구 따라 강남 간다고 새 친구가 다니는 곳으로 교회도 옮겼다. 그곳에서 성격 좋고 쾌활한 여자 선배를 만나 잘 따라다녔다. 그렇게 몇 개월이 지난 어느 날이었다. 목사님에게 모욕을 느낄 정도로 질책을 당하다가 울면서 뛰쳐나가는 선배를 우연히 보았다. 목사님을 하나님과 같은 존재로 느끼던 시절이라 그 장면은 엄청난 충격으로 다가왔다. 그 일을 계기로 교회를 그만두었고, 여전히 가까이하지 못하고 있다. 물론 지금에 와서는 그 선배가 잘못한 일이 있었고 목사님께서 이를 바로잡으려 훈계하는 모습을 내가 본 것이리라 생각한다. 하지만 내 어린 마음은 그렇게 교회에서 멀어졌다.

어찌 되었건 그때 이후로 종교와 신에 대해서 끊임없이 질문을 던지며 살아왔다. 마르지 않는 궁금증을 해결하기 위해 성경과 이문열의 『사람의 아들』을 여러 번 읽었고, 여러 분야의 철학책뿐 아니라 다윈의 『종의 기원』 등 진화생물학 관련 도서까지 꾸준히 탐독해 왔지만 공부하고 생각할수록 더 어려워지기만 했다. 아마 이 또한 신의 영역이 아닌가 한다.

'유발 하라리'를 모르는 사람은 없을 것이다. 그의 영향력은 실로 커서 그의 책은 출판할 때마다 늘 베스트셀러 반열에 오른다. 최근에도 그는 **파이낸셜타임스**에 〈**코로나바이러스 이후의 세상**〉이라는 기고문을 실어 현재의 위기 극복을 위한 통찰력을 여지없이 보여주기도 했다.

한국인의 뇌리에 '유발 하라리'라는 이름을 가장 크게 각인시킨 책은 『사피엔스』일 것이다. 이 책에서 그는 특이한 모양의 조각 작품을 소개하는데, 그것은 사자 인간이다. 몸은 인간인데 머리 부분은 사자의 형상을 하고 있어 사자 인간이라는 이름을 붙인 듯하다. 고고학적으로 볼 때 이러한 사자 인간은 과거에도 존재하지도 않았고 현재도 보고된 바 없다. 그런데 수만 년 전의 사피엔스는 어떻게 이러한 조각을 만들었을까? 이에 대해 하라리는 점점 커지는 인간 집단을 응집하기 위해 초월적인 존재가 필요했다고 설명한다. 그 시대 사람들이 사자 인간이라는 허구적 신화나 신을 만들어 질서를 유지했을 거라고 하라리는 보고 있다. 그는 이를 인지 혁명이라 부르며 사자 인간 조각을 그 증거로 제시했다.

〈사자 인간〉

이러한 하라리의 주장에 공감하는 사람들이 많은 것이 사실이나, 어떤 이들은 원시시대 주술사들이 병을 고친다든지, 부족의 안녕을 기원한다든지 하는 의미에서 사자탈을 쓰고 춤을 췄기 때문에 사자 인간 조각상이 만들어졌다고 주장한다. 그러나 주술사의 탈춤을 재현한 것이라고 해도 사자 인간이 부족을 단결시키는 역할을 담당했다는 사실은 달라지지 않는다. 이러한 의미에서 신은 인간 부족을 응집하는 역할에서 출발해 초월적인 존재로 발전해 나갔다는 하라리의 주장에 어느 정도 공감이 간다. 그렇게 탄생해 발전과 변모를 거듭한 결과가 오늘날의 종교들인 것이다.

「숲길」이라는 시는 영국의 인류학자 제임스 조지 프레이저James George Frazer의 『황금가지』라는 책을 읽고 느낀 바를 써본 내용이다. 이 책은 이탈리아 사제 전승 의식에서 사용되던 '황금가지'의 인류학적 의미를 밝혀가는 내용으로 주술이 어떠한 과정을 통해 종교와 과학으로 발전되는지 정리한 내용을 담고 있다. 구체적인 내용에서 차이는 있지만 하라리의 주장과 일맥상통하는 면이 있는 것은 분명하다.

철학적 측면에서 본 신은 어떤 존재인가? 간단하게 정리해보면 플라톤이 활동하던 시기에는 유신론을 기반으로 한 철학이 펼쳐졌지만, 종교에서 어느 정도의 독립성은 가지고 있었다. 중세 시대에는 기독교 중심의 스콜라 철학이 성행했고, 기독교가 철학 위에 있었다고 할 수 있다. 이러한 철학과 종교의 관계는 근대에 이르러 근본적인 변화를 겪게 된다. 근대 철학의 거두 데카르트가 언명한 '나는 생각한다, 고로 나는 존재한다'에서 알 수 있듯이 '이성'이 철학의 중심으로 떠오른 것이다. 이성을 중심으로 한 철학과 믿음을 중심으로 한 종교가 각자의 길을 가게 된 것도 이 즈음부터다.

이제 **하이데거의 관점**을 살펴보자. 하이데거의 아버지는 성당지기였고, 하이데거는 성직자 수업을 받기 위해 예수회에 가입하기도 했으나 건강이 여의찮아 철학으로 전공을 바꿨다. 이런 배경을 보면 가톨릭이 청년 하이데거의 정신적 지주였으며 그는 철학을 전공한 이후로 가톨릭의 영향에서 벗어났다고 할 수 있다. 혹자는 그의 철학적 사상을 근거로 해서 하이데거가 무신론자라고 하는 한편, 어떤 이들은 종교적으로는 여전히 가톨릭 신자였다고 주장하기도 한다. 개인적으로는 그가 펼친 '사방 세계'란 개념을 근거로 판단하건대 그는 무신론자도 아니고 유신론자도 아니었던 것으로 본다. 그가 신의 존재를 부인한 것은 아니다. 다만 그가 말하는 신은 오늘날의 기독교나 불교, 이슬람교 등의 특정 종교의 신이 아니다.

그러면 **하이데거의 사방 세계**란 무엇인가? **그는 인간은 사방 즉 하늘과 땅, 죽을 자들과 신적인 것들의 통일성에 준해서 살아간다고 보았다.** 하이데거의 「건축하기, 거주하기, 사유하기」란 논문에 따르면 하늘은 태양의 길, 달의 궤도, 별들의 광휘, 사계절과 그 변화, 어둠과 여명, 밝은 빛과 어스름한 빛 등을 말한다. 땅은 헌신하면서 떠받치는 것이고, 꽃을 피우면서 열매를 맺는 것이며 암석과 하천에 이르면서 식물과 동물로까지 피어난다. 죽을 자들은 인간을 말한다. 가장 확실하게 죽을 수 있는 존재이기 때문에 죽을 자들이라 부른다. 신적인 것들은 눈짓하는 신성의 사자使者를 말한다. 신성을 간직한 성스러운 존재로서의 신은 출현하거나 모습을 감추어버린다고 한다.

하이데거는 이러한 네 가지 사방 세계는 각자 존재하는 것이 아니며 땅을 구원하는 중에, 하늘을 영접하는 중에, 신적인 것들을 기다리는 중에, 죽을 자들을 인도하는 중에 네 겹으로 서로를 보살피면서 존재한다고 주장한다. 이렇게 보면 죽을 자인 인간은 피어오르는 땅을 딛고, 환히 트인 하늘의 기운을 받으면서 신적인 존재와 대화를 해나가는데, 이것이 곧 사방 세계 내에서의 삶이라고 한다.

사방 세계의 시각에서 보면 하이데거가 말하는 신은 오늘날의 종교적 신이 아니다. 우리가 살아가면서 신성을 느끼는 모든 것을 그는 신적인 것으로 보았다. 깊은 숲속에서 느끼는 충만한 힘, 우주의 경이, 생명을 보살피는 하늘의 기운, 대지의 어머니 등 우리에게 신성함을 전해주는 모든 것이 하이데거에게는 신이다. 그러니 오늘날의 기준으로 하이데거가 유신론자냐 무신론자냐 가르는 일은 의미가 없다.

이런 관점에서 볼 때 신은 반드시 있고, 그 신은 내 마음속에 존재한다. 신이 있느냐 없느냐의 문제를 고민할 필요는 없다. 사람의 마음속에 신이 있다는 점만 생각하면 된다. 그 신은 기독교나 불교 그리고 다른 종교의 신일 수도 있고, 살아가면서 마음속에 담은 신성한 무언가일지도 모른다.

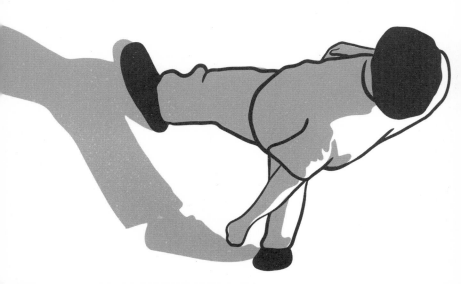

5부 지금, 여기가 중요하다

17 최선으로 되었다

초연한 기다림이 필요하다

새싹의 말 _ 은파

비바람이 없는 항해는
지루하기만 하고
시련이 삶을 키운다 하지만
막상 겪어보니 힘들더이다

세상에서
가장 무거운 짐은 마음에 있어
비우기만 하면 된다지만
막상 그곳엔 아무것도 없더이다

밤새 몰아친 눈 폭풍으로
꽁꽁 얼어버린 땅속에서도
새 생명은 피어나기에

새 하늘 새 아침에는
힘차게 외쳐 보렵니다

살아보니 별것 없더라
살아보니 살만하더라
그렇게 살아가 보렵니다.

이 부장은 지방대를 졸업하고 경기도에 있는 건설회사에 들어갔다. 사람이 착하고 심성이 좋아 상사들에게 늘 인정받는 직원이었고, 주변에서도 성실성으로 칭찬이 대단하였다. 그러던 어느날 기회가 찾아왔다. 동종업계의 스카우트 제안이었다. 국내 굴지의 대기업 계열회사라 별 고민 없이 이직을 선택했고, 이전 회사에서 그랬던 것처럼 오직 회사만 바라보며 달리고 또 달렸다. 주말도 잊은 채 일에 매달렸다. 보람도 있었고 비교적 젊은 나이에 과장으로 승진해 주위의 부러움을 샀으며, 회사의 기대에 보답하고자 잠까지 줄여가며 더 열심히 일에 매달렸다. 집보다 회사에 있는 시간이 늘어났고, 남들보다 부장도 먼저 달았지만 50세를 넘겨도 직함은 제자리였다. 열심히 하면 언젠간 임원이 되겠지 했지만, 어느 날 동료 중 한 사람이 내뱉은 말에 고개를 숙일 수밖에 없었다. "지방대 나와 부장까지 했으면 그게 끝이야. 현실을 부정하려 하지 마! 우리 회사가 왜 일류인지 알아? 일류대 임원만 있어서 그래!" 속상했지만 현실을 받아들이고 일에만 매진했다.

50대 중반을 바라보고 있었고, 작은아이 졸업까지 남은 1년만 열심히 하려 했는데, 어느 날 감사 부서에서 들어오란다. 새파랗게 젊은 감사 부서 직원이 다짜고짜 그동안 회사 생활을 해오면서 잘못한 일을 적어 내라는 것이었다. 그저 회사에 충성한 일밖에 없었기에 그리 말하자 가도 된단다. 그렇게 세 차례 더 불려가면서 점점 지쳐갔다. 한 달 뒤 결국에는 감사 부서를 스스로 찾아갔다. 그만두겠다고 하니 한 달 안에 그러란다. 그래서 사정했다. 두 달만 더 있게 해 달라고. 긴 줄다리기 끝에 그리 합의했다. 돌아오면서 '협상을 잘했구나!'하고 마음을 달랬다. '두 달만 더 하면 작은딸 대학 학자금 지원을 한 번 더 받을 수 있으니 얼마나 다행이야.' 집에 돌아오는 길에 아내와 두 아이를 생각하니 눈물만 하염없이 쏟아졌다. '가난한 집에서 태어난 것도, 변변찮은 지방대 나온 것도, 죽어라 일만 한 것도 잘못이었다. 결국은 다 잘못이었다. 모든 게 다 내 잘못이었다.' 그는 자책하면서 시꺼먼 하늘만 쳐다보았다.

실제 대기업에 다니던 지인이 겪은 일이다. 20대 중반부터 평생을 회사에 헌신하며 살았지만, 결국 돌아온 것은 회사의 외면이었다. 대부분 임원이 되지 못하면 50대 초반에 제2의 인생 행로를 정해놓고 당연히 사표를 쓰기 때문이었다. 그렇지만 늦게 결혼한 이 부장의 아이 둘은 모두 대학생이었다. 게다가 남들처럼 관리직도 아니었고, 기술직으로 있었기 때문에 아이들이 졸업할 때까지 좀 더 견딜 수 있으리라 생각했다. 하지만 세상사는 그렇게 흘러가지 않았다. 아무리 열심히 해왔어도 회사의 방침에 따르지 않았기 때문에 결국에는 감사 부서에 불려가는 수모까지 겪었다. 그동안 가정을 돌보지 않고 회사에 충성한 결과가 이렇게 되었으니 얼마나 서러웠겠는가. 이 모든 것은 그의 잘못이 아니었다. 다만, 시대가 그런 것이었다. 그렇지만 국내 대기업이라는 회사의 대응도 어찌 보면 졸렬하기 짝이 없었다. 꼭 그렇게 내보내야 했나 하는 생각이 든다. 좀 더 유연한 방법을 찾아볼 수는 없었던 걸까?

이렇게 사회라는 시스템은 개인의 의지와 상관없이 흘러가는 경향이 있다. 아무리 노력을 해봐도 결과가 뜻대로 되지 않는 경우가 많은데, '이것이 우리 소시민의 삶이 아닐까?' 하는 생각에 괜히 슬퍼진다.

주식시장과 관련하여 **랜덤 워크 이론**Random Walk Theory이란 것이 있다. 이는 주식 시장에서 시황판에 있는 종목에 눈 감고 다트를 던져서 선정된 종목에 투자한 사람이나, 합리적이고 분석적으로 투자한 사람의 수익률은 거의 차이가 없다는 이론이다. 물론 단기적으로는 합리적 투자자가 수익을 더 크게 올릴 수도 있지만, 장기적으로 보면 차이가 거의 나지 않는다는 것이다. 이러한 현상을 바탕으로 '개인이 시장을 이길 수 없다'라는 격언이 나오고, 인덱스 펀드가 등장하는 계기도 되었다.

그러면 합리적 행동 이론이 무의미하다는 것일까? 그렇지 않다고 본다. 랜덤 워크 이론이 시사하는 바는 처음 계획을 너무 맹신하지 말고, 수시로 변화하는 상황에 대응을 잘해야만 한다는 것이다. 이를 우리 삶에 적용해보면, 처음부터 너무 세밀한 계획을 세우기보다는 거시적인 계획을 수립한 후에 상황 변화에 따라 수시로 계획을 수정하는 것이 목표 달성에 더 효율적이라는 결론에 다다른다. 즉 '인간의 예측을 너무 확신하지 말고, 상황에 따른 대응의 영역 속에서 효율적으로 움직이는 것이 중요하다'는 것이 랜덤 워크 이론의 교훈이 아닌가 한다.

이처럼 우리 삶은 의지대로 굴러가지 않는다. 그렇다고 낙담만 하고 있으면, 낙오자의 길로 갈 수밖에 없는 것이 또한 인생이다. 이와 관련하여 **하이데거가 말하는 '초연함'**에 대해 숙고해볼 필요가 있고 본다. 여기에서 초연함이란 살아가며 '할 수 있다'는 것과 '할 수 없다'는 것을 동시에 취하는 태도를 가져보라는 것이다. 왜냐하면 우리 삶은 항상 열려있고, 열린 장에는 필연적으로 늘 변화가 있기 때문이다. 우리는 다른 이들과 함께 공동체에 속해 있어, 나 한 사람의 결단으로는 세상을 바꿀 수가 없다. 이러한 열린 장에서, 열린 마음을 가지고 있어야만 한결 초연해질 수 있다는 것이 하이데거의 생각인 듯하다.

그렇다고 해서 본인의 정체성을 잃고 세상 흘러가는 대로 자신을 맡기라는 말은 아니다. 거꾸로, 열려있는 장에서 끊임없는 결단을 해나가라는 말이다. 다만 내 결단으로 바꿀 수 있는 부분도 있지만 아무리 노력해도 바꾸지 못하는 부분도 있으니 그에 대해서는 초연한 마음을 가지라는 것이다.

초연함의 반대말은 욕심이 아닐까 한다. 이룰 수 없는 것에 계속 집착하고 미련을 갖는다면 자칫 영혼이 파괴될 수도 있다. 그리고 기다림도 필요하다. 나름대로 노력하고 난 후, 결과가 신통치 않다고 불평하는 사람들을 자주 본다. 이런 사람들은 그 조급증 때문에 잘 될 수 있는 일도 스스로 망치기 일쑤다. 그래서 필요한 것이 '초연한 기다림'이다. 기다림 끝에 원했던 결과가 나오지 않더라도 '초연한 기다림'만 있다면, 새로운 시도를 위한 발걸음도 그리 어렵지는 않을 것이다.

 이제 '최선으로 되었다'라는 말을 '초연한 기다림' 속에 간직하자. 최선을 다했다고 해서 항상 내가 원하는 결과가 나오지는 않음을 슬퍼하지 말자. 최선은 최선으로 의미가 있는 것이다. 인생은 원래 그렇다. 내가 원하는 대로 모든 것이 다 이루어진다면, 이 세상은 딱 그만큼 무료해지고 재미도 없게 될 것이다. 이제부터 최선은 다하되 초연해지자.

18 지금이 중요하다
지나간 것은 후회하지 말고, 아직 오지 않은 것은 두려워하지 말자

소명召命 속으로 _ 은파

쉼 없이 다가오며
세월은 그렇게 속삭였건만
애써 외면하며
젊었던 날들만 탓한다

천지지간 처음 열린 날부터
내려놓으라 한없이 꾸짖어도
귓전만 맴돌 뿐

잔인한 4월
뭇 생명이 소생하는 지금
영원히 돌아갈 곳을 예비해 주고
접었던 꿈을 다시금 재촉한다

시간은 기다려주지 않지만
결국 나의 연장延長 속에 있고
소멸 앞으로 한달음치니
게으름 속에서도 소명召命은
더욱더 분명해진다

태곳적부터 감추어둔 비밀을
동굴 속에서 해방시켜준다면
나에게 더 가혹한 나를
발견하는 일은 멀리 있는 것이 아니라네.

'꿈속이'는 요즘 괴롭다. 하는 일 중 제대로 되는 것이 하나도 없다. 예전에는 하는 일마다 하늘이 돕는 것처럼 잘 풀렸었다. 일단 시작만 하면 주위에 있는 모든 사람이 도와주었다. 주변에 사람들도 많이 몰려들었다. 일이 잘되니 집안도 평화로웠다. 그렇다 보니 세상이 마치 자신을 위해 움직이는 것 같았다. '금손이'라는 별명도 얻었다. 손대는 것마다 모두 금으로 변했으니 말이다. 평생 이럴 것만 같아 날마다 꿈속에 살았다.

그러던 어느 날 지인이 찾아왔다. 좋은 투자처가 있으니, '금손이'가 손을 대면 모든 것이 다 다이아몬드로 바뀔 거라는 것이었다. 갑자기 흥분이 몰려왔다. 지금 가진 것도 충분하긴 한데, 자식들 미래를 위해서는 더 큰 것이 필요하다는 생각이 몰려들었다. 자신도 있었다. 그동안 살아온 과정이 증명해 주지 않는가. 그렇게 새로운 사업에 발을 디뎠으나, 위기는 뜻하지 않은 곳에서 찾아왔다. 갑자기 한국에 IMF란 시커먼 구름이 몰려든 것이다. 한순간이었다. 새로 시작한 사업은 벼랑 끝에 내몰렸다. 저축이며 부동산이며 긁어모을 수 있는 것은 모두 모아서 사업을 살리려고 해봤다. 그런 노력에도 불구하고 거센 바람에 새로운 사업은 결국 쓰러지게 되었다. 모든 것이 달라졌다. 상황이 이러니 가족도 뿔뿔이 흩어졌다.

시간이 10년쯤 흘렀다. 그동안 진짜 열심히 살았다. 신문 배달, 택배, 공사장 일용직 등 안 해본 것이 없다. 잘 나갈 때 크게 도움을 받았던 사람들의 지원으로 새로운 사업도 몇 번 도전했다. 하지만 하는 일마다 제대로 풀리지 않았다. 가끔 자살 충동도 느꼈다. 이렇게 살아서 뭐 하나 하는 생각도 들었다. 아무리 열심히 해도 하늘이 도와주지 않으니 말이다. 약물에 의지해 자꾸 잠만 잤다. 꿈속에선 예전의 화려했던 자신이 항상 웃는 얼굴로 반겨준다. 요즘은 온통 또 다른 사업을 찾는 일에 정신이 팔려있다. 경험이 있으니 조금만 잘하면 성공할 것 같다. 드디어 재기에 성공했다. 가족도 다시 모였다. 주변에 친구들도 다시 몰려들기 시작했다. 너무도 행복했다. 갑자기 지나가는 기차 경적에 잠이 깼다. 모든 게 다 꿈이었다.

'꿈뿐이'는 꿈 많은 시절을 보내고 있다. 대학생으로서 하고 싶은 것도 많다. 남들은 대학교 1학년부터 공부를 죽어라 한다. 취업 전쟁이 심각하니 어쩔 수 없는 선택일 것이다. 요즘 세대는 아무리 노력해도 부모 세대보다 경제적으로 여유롭게 살 수 있는 세대가 아니라고 언론에선 계속 떠들어 댄다. 경제 구조가 이미 그렇게 변했다는 것이다. 하지만 '꿈뿐이'는 동의하지 않는다. 자신도 있었다. 인터넷을 보든 방송을 보든 성공한 사람들 사례가 많이 나온다. 어떤 사람은 유튜브 방송을 통해서 어마어마한 부를 축적하고, 명함 앱을 만들어 성공한 사람도 있었다. 그러니 하나만 잘하면 먹고사는 데 문제가 없을 것이다. 오히려 부모보다 더 성공할 자신도 있다.

　그렇게 날마다 꿈을 꾸지만, 손에 잡히는 것은 없다. 뭔가를 해보려고 하면 이미 남들이 먼저 다 해버렸기 때문이다. 그러다 보니 자꾸 게을러진다. 요즘 코로나로 학교도 못 가고, 온라인 수업을 해서 시간은 많은데 대부분의 시간을 멍하니 보내고 있다. 계획표를 다시 짜 본다. 내일부터는 열심히 살아보려 한다. 그렇게 날마다 시간이 지나간다. 계획은 세우는데 몸이 따르지 않고, 계획을 바꿔봐도 실천이 잘 안된다. 그래도 꿈만은 포기할 수 없다. 내일은 분명히 더 잘할 수 있다고 다시금 다짐해본다.

우리 주변에는 이렇듯 수많은 '꿈속이'와 '꿈뿐이'가 살아간다. 화려했던 과거에 갇혀 살거나, 실천은 없이 미래만 꿈꾸는 사람들 말이다. 어쩌면 나도 그런 사람 중 하나일 수도 있다.

우리는 살아가면서 '탓'이란 단어를 너무 쉽게 사용한다. 지금 어려운 것은 '과거 탓'이고, 미래가 불투명한 것은 현재 자신이 처해있는 '상황 탓'이라고 한다. 반면, 어떤 사람은 미래를 '탓'한다. 미래가 중요하기 때문에, 현재를 포기하고 무조건 모으기만 한단다. 그러다 보니 가족도 친구들도 다 외면하게 된다. 삶이 이렇게 '탓'으로 점철된 사람은 이 모든 것이 '자신 탓'이라는 것을 모른다. 결단이 부족한 자신이 문제임을 전혀 모른다는 말이다.

하이데거에 의하면 우리는 그냥 세상에 내던져진 존재다. 내 의지와 무관하게 세상에 나왔다는 것이다. 누구는 삼성의 아들로 태어나고, 어떤 이는 영세 소농의 아들로 태어나기도 한다. 출발점에서 차이가 벌어진다. 하지만 이것만 '탓'하며 세상을 살아간다면 성공은 꿈도 꾸지 못한다. 물론 세상에 던져진 상태가 다르니 바꿀 수 없는 것도 있다. 어떤 사람은 각고의 노력으로 삼성 같은 회사를 만들 수도 있겠지만, 이런 경우는 극히 예외적이어서 대부분의 사람에게는 해당하지 않는다. 그래서 사람마다 소명이 다 다른 것이다. 세상에 이유 없이 던져진 존재는 없기 때문에, 그 이유에 맞게 자신의 소명을 찾아 나가면 된다.

이러한 소명을 찾는 작업이 하이데거가 말하는 '기획투사'다. 기획투사란 뚜렷한 목표 의식이 없이 시류에 따라 살아가는 것이 아니라, 자신의 존재에 대해서 고민하면서 미래를 기획하고 그것에 따라 살아가는 것을 말한다. 다만 단순히 미래에 대한 계획을 세우는 것이 기획투사는 아니다. 자신의 현재와 존재가치에 대한 깊은 숙고를 바탕으로 기획하고, 그것을 자신의 것으로 만들어 가는 일만이 진정한 기획투사라 하겠다. 한마디로 자신의 진정한 가치를 알고 그 가치를 실현해 나가는 것이라고 할 수 있다.

우리 삶은 모두 과거와 현재 그리고 미래로 구성되어 있다. 하지만 이를 대하는 방식은 사람마다 다르다. 위에서 예로 든 '꿈속이'는 과거의 영광에만 젖어 사는 사람이고, '꿈뿐이'는 과거와 현재는 생각하지 않고 장밋빛 꿈만 쫓아다니는 사람일 것이다.

하이데거는 과거와 현재, 미래를 분리해서 보지 않았다. 과거와 현재, 미래가 한 몸처럼 유기적으로 결합해야만 한 사람의 실존을 형성한다고 보았다. 그러므로 세 가지 시점을 분리해서 사는 사람은 진정한 삶을 살아가는 것이 아니라는 것이다.

　그러면 이 세 가지 시점의 경중은 모두 비슷할까? 그렇지 않다고 본다. 세 가지 시점 중에서 가장 중요한 것은 현재다. 인간이 기획투사를 할 때는 과거를 디딤돌 삼아 현재 시점에서 미래에 대한 결단을 내리기 때문이다. 그래서 현재 시점을 어떻게 사느냐에 따라 개인의 미래는 달라진다. 다시 말하지만, 과거와 현재 그리고 미래 모두가 중요하다. 이를 모두 하나의 바구니에 담아 놓되, 결단이 필요한 지금 최선을 다해야만 원하는 미래가 열린다.

**　'꿈속이'들아, 덧없는 과거를 과감히 떨쳐내시라.**
**　'꿈뿐이'들아, 헛된 미래를 두려워 말고 과감히 결단을 내려라.**
**　그러면 미래가 당신에게 응답할 것이다.**

19 여기를 잊지 말자

내가 거주하는 여기가 가능성이다

축제의 날 _ 은파

차디찬 바람에 소스라치게 놀란 아이는
어머니 품속에서 몸서리치고
모든 눈짓들은 순환을 준비하라 하지만
정작 목동은 달콤한 꿈에 갇혀 있다

멀리서 임박해오는 예비豫備는
신성한 몸짓으로 안아주려 하지만
두려움에 떨던 나는 또다시
도망을 가고야 말았다

아득한 터에서 길을 잃고 헤매다
또다시 의미 없는 날갯짓을 하니
심장 한켠 속에 숨어 있는 갈증은
끊임없이 달려가라 재촉하고
들길 속에 숨어 있는 속삭임은
하염없이 손짓한다

정녕 축제의 날은
다시 오기 힘든 것일까?

고향 하늘에 깃들어 있는
천상의 신에게 말을 걸어보자
느리게라도 고동치는 눈짓에
귀를 기울여보자

축제의 날은 시인의 노래를 타고
느닷없이 찾아오기에.

외국에 사는 동포들은 대부분 그들의 뿌리를 잊지 않고 고향을 그리워하며 살아간다. 매년 추석이나 설 명절 행사도 잊지 않고 전통을 이어가는 경우가 많다. 물론 이민 2세대, 3세대로 내려가면서 자신들의 뿌리에 대한 의식이 점점 희미해지긴 한다. 하지만 세대가 내려간다고 해도 정서는 남아 있는 것 같다. 동포들 행사에 참석하다 보면 가장 많이 듣는 노래가 '고향의 봄'이다. 이 노래가 울려 퍼지면 제일 먼저 1세대들이 눈물을 흘리기 시작하고, 조금 시차를 두고 2세대, 3세대들도 눈물을 흘린다. 업무차 참석한 나도 이런 장면을 보면서 눈시울을 훔친 경우가 많았다.

한번은 '수지 김'이라는 미국 법무법인 변호사를 만난 일이 있었다. 수지 김은 뉴욕 사회에서는 그래도 잘나가는 변호사였다. 남편이 그 법인 대표 변호사 중 한 사람이었고, 유대인이었기 때문이다. 미국 사회를 좀 아는 사람은 대부분 이것이 어떤 의미인지 잘 알고 있다. 미국 변호사 시장에서 유대인이 차지하는 위상이 어마어마하다는 것을. 수지 김 변호사에 의하면 뉴욕에서 활동하는 한인 변호사 대부분은 한인과 관련된 사건을 처리하고 있으며, 이 경우도 교통사고 등과 같은 단순 사건이고 법원에서 소를 다투는 큰 사건의 경우는 유대인을 끼지 않고 승소하기 어렵다고 한다. 이는 미국 법조계에 뿌리내린 유대인들의 영향력이 그만큼 크기 때문일 것이다. 우리 생각에는 미국에서 변호사 생활을 하면 매우 성공한 사람이고, 고소득자라 생각하지만 현실은 그렇지 않다. 물론 그 중에는 크게 성공한 사람도 있다. 그러나 대부분은 우리가 한국에서 느끼는 위상과 다른 상황에 처해 있다.

변호사 시장을 예로 들었지만, 우리나라와 문화가 다른 외국에서 살아가는 일은 그리 녹록지 않다. 고향을 그리워하는 마음뿐 아니라 인종차별이나 문화적 편견, 그리고 여러 가지 제도에 따른 제약은 우리가 생각하는 것 이상이다. 미국 사회만 보더라도 아시아계는 극히 소수이며, 한인 비율은 1%도 채 되지 않는 실정이다. 물론 이민 1세대들은 60~70년대에 경제적 어려움이나 정치적 박해를 피해 떠난 관계로 목숨을 건다는 심정으로 그 사회에서 적응해 나갔을 것이다. 하지만 지금 이 시점에 외국으로 이민을 하고자 한다면 신중에 신중을 기하라는 말을 하고 싶다.

하이데거의 사유에서 장소라는 개념은 상징적인 의미로 쓰이는 경우가 많은데, **한마디로 모든 것의 근원이나 원천**이라고 할 수 있다. 장소는 모든 진리와 사유가 시작되는 원천이고, 인간에게 고향이 이러한 장소에 해당한다. 따라서 인간들은 기본적으로 고향에 거주하려는 마음을 내재적으로 가지고 있다는 것이다. 하지만 지금 우리는 '고향 상실'의 시대를 살고 있다고 하이데거는 진단한다. 원래 고향에 거주해야 할 운명을 가지고 태어났지만, 기술 문명 숭배로 인해 자신의 정체성을 잃고 고향 밖에서 방황하고 있다는 것이다. 여기에서 하이데거가 말하는 고향은 인간을 철학적인 존재로 세우는 장소를 말한다. 그러므로 하이데거는 '존재의 진리'가 피어날 수 있는 고향으로 귀향해야 한다고 후기의 사유에서 지속적인 메시지를 전했다.

그러면 **한국 사람들에게 고향은 어떠한 존재**인가. 한 마디로 우리가 터 잡은 뿌리와 같은 곳이며, 개개인이 정체성을 유지하면서 가능성을 마음껏 열어갈 수 있는 장소라고 할 수 있다. 미국에서 3년여 체류하다가 귀국했을 때 느낀 것이 있었다. 처음 미국에 갔을 때 시차 적응 때문에 10여 일 이상을 고생했다. 그런데 3년이 지난 후 한국으로 귀국했을 때는 시차 문제를 거의 겪지 않고 바로 적응했다. 물론 사람에 따라 다를 수는 있지만, 그때 상황에서는 '내 몸을 만들어낸 하늘과 땅, 그리고 자연'으로 돌아왔기 때문에 쉽게 적응했다고 느꼈다. 고향이란 이런 것 같다. 의식하지 않고 살고 있지만, 고향은 이미 내 몸속에 깊이 내재해 있었다.

우리는 비교하기를 좋아한다. 남과의 비교뿐 아니라 다른 나라와도 비교한다. 이런 시각으로 보면 남의 것이, 다른 나라가 더 좋아 보이기 마련이다. 왜냐하면, 남이나 다른 나라에 관해서는 좋은 것만 보이기 때문이다. 하지만 우리가 터 잡고 사는 곳은 우리나라 땅이라는 것을 잊지 않았으면 한다. 이 땅, 이 나라, 이 문화를 소중히 여기고 여기에서 자신의 가능성을 마음껏 열어가는 것이 우리의 숙명일 것이다. 물론 이민자 중에 만족하며 사는 사람들도 많이 있다. 그렇지만, 그들은 고향에 대한 향수를 운명적으로 안고 살아간다. 그러니 **이민할 것이 아니라면 지금 내가 서 있는 여기를 절대 잊지 말자.** 그래야만 여기라는 터에서 자신의 가능성을 싹틔울 수 있다. 그리고 기왕 이민하려는 사람들은 하루빨리 그곳을 고향으로 삼아야 한다. 그곳에서 계속 이방인으로 살아간다면 그만큼 가능성이 줄어들기 때문이다.

20 나를 나답게 해 준 한 마디

동양사상에 해결의 열쇠가 있다

희망꽃 _ 은파

시꺼먼 구름과 가녀린 햇빛
서로 눈짓하며 은혜를 전하건만
오락가락 가랑비에
어찌할 바를 모르는 기다림

진리는 위장막 속에서
기다리다 지쳐 울고 있으나
조급함만 성을 내고 있구려

땅속 깊은 정성을 모아
구름 속에 흩뿌린 물방울은
생명들에게 피를 선사하기에
축복 속에 받아들이면 될 것을

열자 닫힌 가슴을
피를 돌게 하자
막혔던 혈관 속으로
불안이 엄습하는 곳에
희망꽃이 피어나도록.

이데아 vs 기독교적 신 vs 이성

플라톤에 따르면 인간은 본래 불완전한 존재로서 초월적 실재인 이데아를 추구하는 존재라고 한다. 이러한 플라톤의 이데아라는 관념은 중세 기독교 시대를 거치면서 신(하나님)에게 그 자리를 내어주게 된다. 이 시기의 가장 초월적이고 절대적인 가치는 하나님의 말씀이었고, 사람들은 그 말씀을 생활 속에서 실천하는 길만이 진리라고 믿고 살았다.

이러한 상황은 근대 철학자인 데카르트가 등장하면서 획기적인 변화를 맞이하게 된다. '나는 생각한다, 고로 존재한다'라는 데카르트의 명제를 바탕으로 인간은 세상 만물의 주역으로 등장하게 되었다.

기술 문명 시대 도래의 필연성

이데아나 신을 추구하던 이원론적 세계관을 이어받아 이성은 절대적인 위치를 차지하게 되고, 이러한 역사적 흐름을 바탕으로 기술 문명 시대가 활짝 열리게 되었다. 근대시대의 합리적 이성에 대한 탐구는 수많은 경험 과학을 낳았으며, 오늘날 기술 문명 시대의 원천이 되었다는 점을 생각해 보라. 이에 따라 인간은 기술 문명 시대의 주인으로서 세상 만물을 마음껏 이용할 수 있는 권능을 가지게 되었고, 하나의 자원에 불과한 지구를 끊임없이 파헤치며 살아왔다. 최근에는 서양을 따라잡기 위한 동양 국가의 기술 만능주의 또한 극단화의 길로 가고 있다.

그러면 그 결과는 어떠한가. 지구는 각종 오염 물질로 가득 차있고, 최근 코로나 사태에서 보듯이 신종 전염병이 전 지구를 휩쓸고 있다. 이는 어찌 보면 하나의 생명체라 할 수 있는 지구의, 살아남기 위한 마지막 몸부림이 아닐까?

서양 주류 철학 vs 하이데거의 세계-내-존재

이 지점에서 하이데거의 통찰이 빛을 발한다. 하이데거는 서양 철학은 필연적으로 기술 만능주의 시대를 열 수밖에 없었으며, 지금 우리가 하루빨리 사상적 전회를 이루지 않으면 인류는 결국 멸망의 길로 가게 된다고 주장한다.

그러면 그는 이에 대해 어떠한 해답을 내놓았을까? 하이데거에 따르면 서양철학 2000년 역사는 한마디로 길을 잘못 들었다. 그는 인간에게 있어 초월적 존재(이데아나 신 또는 이성)를 찾는 일은 의미가 없다고 감히 언명한다. 인간은 자연 만물의 주인도 아니고, 초월적 가치를 추구하는 존재도 아닌 그저 세계-내-존재라고 하이데거는 말한다. 다시 말해서 인간은 자연의 일부이고, 주어진 상황 속에서 타인과 관계를 맺으며 살아가는 존재일 뿐이라는 것이다. 이러한 사상은 동양의 노장사상과도 상당히 닮아있다. 놀라운 일 아닌가. 동양사상을 접해본 이가 드물었던 시기의 유럽에서 동양 사상과 닮은 하이데거의 철학이 펼쳐졌으니 말이다.

하이데거 '동양 사상에 해결의 열쇠가 있다!'

하이데거는 1966년 9월 23일 독일 시사 주간지 《슈피겔》에 실은 기고문에서 다음과 같이 이야기한다.

"서양의 정신문명과 기술 문명의 폐해를 극복하기 위한 해답은 동양 사상이 제시할 수 있다. 하지만, 동양이 해결의 열쇠를 가지고 있다 하더라도 동양에서는 문제를 문제로 인식하지 못하고 있어, 그 해답은 문제를 일으킨 서양에서 찾아낼 수밖에 없다."

참으로 고통스러운 대목이다. 서양보다 더 서양화된 동양의 기술 문명 숭배 주의를 꾸짖는 말로 들리지 않는가? 하이데거의 이 말이 내 머릿속을 수년간 지배할 정도로 그 충격은 쉽게 가시지 않고 있다.

하이데거의 준엄한 꾸짖음이 아니더라도 동양 사상의 주체성을 다시 확립해야 할 때가 지금이 아닌가 한다. 나는 철학자는 아니지만 전 지구적 환경재앙이나 각종 전염병 창궐, 기계화로 인한 인간성 상실 등의 위기를 극복하기 위한 해답이 동양 사상에 있다는 점을 굳건히 믿고 있다.

이제 나는 안다. 물론, 전부를 다 안다는 것은 아니지만 어렴풋하게나마 한 줄기 빛을 보게 되었다. 그래서 당장 시작하려 한다. 작은 불빛이라도 틔우는 작업을. 그러다 보면 죽기 전에 온전한 빛의 흔적이라도 찾을 수 있지 않을까?

Epilogue

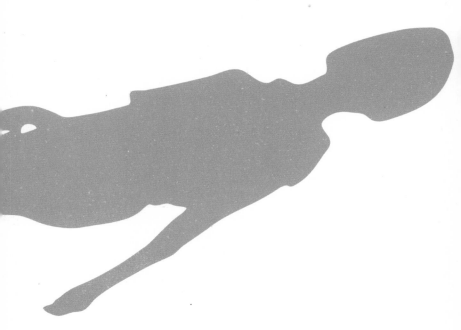

Epilogue 1. 현쯘재(現存在)

참으로 긴 여정이었다. 하이데거와의 만남 이후, 어떻게 하면 난해하기로 유명한 하이데거 철학을 평이하게 전달할 수 있을까 하는 고민이 많았다. 그러다 문득, 개인적인 경험담을 하이데거 시각으로 풀어내다 보면 하이데거와 쉽게 가까워지지 않을까 하는 생각이 들었다. 그래서 에세이 형식으로 하이데거 철학을 재해석해보기로 했다. 하지만 원고를 접한 이들은 한결같이 말한다. 내용은 좋은데 하이데거 철학을 설명하는 부분이 조금 난해하다고. 당연한 하소연이라 생각한다. 그래서 하이데거 철학의 기본 개념조차 생소한 이들에게 조금 더 친절한 추가 설명을 하기로 하였다.

본 에피소드는 **하이데거 철학의 가장 기본적인 개념**을 추가로 다루기 위한 것이다. 앞으로 다룰 총 5편의 에피소드에는 하이데거

철학의 주요 개념인 **현존재**現存在, **세계**世界, **세계에 대한 이해**理解, **진리**眞理, **사방세계**四方世界가 포함된다. 물론 하이데거를 제대로 이해하기 위해서는 이 외에도 살펴보아야 할 개념이 많다. 그렇지만 여기에서 다룰 다섯 가지 개념만 제대로 파악해도 하이데거 사상의 큰 골격은 이해할 수 있으리라 생각한다.

◆

그럼 먼저 **하이데거의 현존재**에 대해서 살펴보자.

하이데거를 이해하기 위해서는 근대철학의 창시자 데카르트를 먼저 이해해야만 한다. 데카르트는 소크라테스와 플라톤의 이성 중심 철학을 체계적으로 정립시킨 근대철학의 거두라고 할 수 있다. 그는 "인간은 생각하는 존재라는 것" 외에는 "확실한 것이 하나도 없다"라고 말하면서, "나는 생각한다. 고로 나는 존재한다"라고 외쳤다. 결국 '인간은 생각하는 존재' 즉 '이성을 가진 존재'라고 주장한 것이다. 데카르트에 따르면 '인간 실체의 본질은 사고한다는 것이고, 인간 실체가 존재하기 위해서는 그 어떤 물질적인 것에도 의존하지 않는다'라는 결론에 이르게 된다.

이 지점에서 하이데거의 통찰이 빛을 발한다. 데카르트를 비롯한 전통 철학자들은 마음 즉 이성은 우리가 생활하고 있는 세계 없이도 존재할 수 있다고 주장한다. 반면, 하이데거는 세계 속에서 활발하게 활동하는 마음만이 진정한 존재자 즉, 현존재라고 본다.

하이데거의 현존재란 독일어 Da-sein을 일본 철학자들이 번역한 말이다. 하이데거는 '세계 속에서 활동하는 인간'을 모국어로 표현할 방법이 없어, 독일어 Da(거기에)와 sein(있음)을 엮어서 Da-sein을 만들어 냈다. 현존재의 독일어 표현인 Da-sein도 이해하기 어려운데, 이를 '현존재'라고 번역한 일본 철학 용어를 가져와 우리 철학계에서 그대로 사용하고 있어 현존재라는 용어가 더 어렵게 다가오는 것 같다.

그러면 현존재, 즉 Da-sein의 뜻을 풀이해 보자. Da는 '거기'라는 장소를, sein은 '있음' 즉 존재를 말한다. 한마디로 현존재란 인간 실존을 표현하는 말로 '거기에 있음'을 뜻한다.

인간 현존재는 데카르트가 말하듯이 세계와 동떨어져 단독으로 존재하는 것이 아니라, 세계 속에서 유의미하게 존재한다고 하이데거는 주장한다. 예를 들어 대한민국의 특정 지역에 있는 어떤 개인은, 유럽 대륙 특정 지역의 개인과는 전혀 다른 현존재로 실존한다고 보는 것이다. 그뿐만 아니라 지금 이 시대를 살아가고 있는 특정 개인은 과거에 살았던 개인들과도 다른 현존재로 실존한다고 본다. 이것이 데카르트가 말하는 '이성적 동물'로서의 인간과 다른 점이다. **데카르트는 세계(사회)와 관계없이 이성을 근간으로 인간이 존재한다고 보지만, 하이데거는 세계(사회)와 분리해서는 인간을 정의할 수 없다**고 본다.

관점을 달리해서 설명해보면, 데카르트는 마음 또는 이성은 세계라는 것이 없이도 존재할 수 있다고 주장하지만 하이데거는 세계 안에서 활발히 활동하는 존재자만이 현존재로서 실존한다고 이야기한다. 다시 말해 데카르트는 이성을 가지고 있는 인간이 세계의 중심이라고 말하는 것이고, 하이데거는 현존재로서의 인간은 세계의 중심이 아니고, 세계와 활발하게 관계하는 존재로서 의미가 있는 것이라고 보는 것이다. 따라서 하이데거의 현존재는 Da-sein이 의미하는 바처럼 특정한 시간에, 특정한 장소 속에 존재하는 것 자체에 의미가 있다.

지금과 중세 시대를 비교해 보자. 지금의 나, 즉 21세기의 대한민국에 사는 나는 아무리 노력해도 중세 시대 십자군 기사가 될 수 없다. 또한, 중세 시대에 있는 어떤 음악가는 아무리 노력해도 재즈나 디스코 음악을 작곡할 수는 없다. 이슬람 사회, 그중에서도 극단주의 조직과 대한민국을 비교해도 마찬가지이다. 지금 우리는 테러를 순교의 하나로 받아들이는 그들을 도저히 이해할 수도 없을 뿐만 아니라, 그렇게 될 수도 없다. 이슬람 문화권에 속해 있는 사람들도 유교적 문화권 테두리 안에 있는 우리를 이해하기 어려울 것이다.

다만 시간과 장소가 부여하는 사회 규범은 우리에게 가능성과 한계를 동시에 제공한다는 점을 명심해야만 한다. 사회 규범 내에서 우리는 쉽게 준거로 제시된 틀에 맞게 모든 일을 해낼 수 있으나, 규범을 벗어날 수 없다는 한계 또한 가진다. 중세 시대 음악가의 경우 당대의 악기들이나 음악적 관행을 활용하여 그 시대의 음악을 작곡할 수는 있겠지만, 그 틀을 벗어난 현대음악은 작곡할 수 없을 것이다. 이런 점을 생각해 보면 특정 시대, 특정 장소가 가지고 있는 현존재의 가능성과 한계를 이해할 수 있을 것이다.

이렇게 보면 자명해진다. **데카르트를 비롯한 주류 철학은 세계(사회) 없이도 이성적 존재로서의 인간은 그 자체로 의심 없이 존재할 수 있다고 보지만, 하이데거는 세계(사회) 속에서 활발하게 활동하는 관계가 있어야만 현존재로서 실존할 수 있다고 본다.** 철학에는 정답이 없다. 다만 인간이나 세계에 대한 여러 가지 시각만 있을 뿐이다. 우리는 철학의 여러 가지 시각이나 관점 중에서 어떤 것을 받아들일 것인지만 결정하면 된다. 여러분은 어떤 결정을 하겠는가. 그것은 순전히 독자 여러분의 몫이다.

Epilogue 2. 세계(世界)

현존재를 이해했으면 현존재가 활발하게 관계하는 세계를 파악해 보도록 하자.

서양 역사에서 기독교 등장 이후 가장 중요한 사건은 16세기부터 시작된 근대과학혁명이라고 할 수 있다. 이러한 근대과학혁명의 역사에 초석을 놓은 사람은 다름 아닌 근대 경험론의 창시자 베이컨이다. 그는 과학의 토대를 세우기 위해서 세계에 덧씌워져 있는 주관성을 배제해야 한다고 말한다. 이는 객관적으로 파악 가능한 부분만이 과학의 대상이 되고, 도덕적인 가치와 같은 주관성은 세계를 구성하는 부분이 될 수 없다는 것이다. 그의 시각에 따르면 우리가 거주하고 있는 세계는 물리적인 대상들의 총합總合 이외에 아무것도 아니라는 결론이 나오게 된다.

반면, 하이데거가 바라보는 세계는 물리적인 존재도, 그들의 총합도 아니다. 그에 따르면 세계란 현존재가 활동하면서 관계하는 공간으로서 물리적인 것으로 환원할 수 없는 것이다. 그리고 이러한 **세계 개념에서 중요한 것은 이해**理解라고 말한다. 여기에서의 **이해**理解란 세계와 관련된 사실들을 인식하고, 그 안에서 어떻게 살 것인지 결정하는 것이다. 다시 말해서 **현존재가 관계하면서 자기 삶의 방식을 결정하고, 행동하는 장이 바로 세계**라고 할 수 있다.

◆

개인적인 경험으로 이를 설명해보고자 한다.

직장생활을 시작하고 10여 년 후 미국 뉴욕에서 3년 정도 체류할 기회가 있었다. 당시 집에 필요한 물건을 사기 위해 월마트에 간 일이 있다. 1시간 정도 물건들을 구입하고, 계산대로 갔다. 낮 12시 30분 정도로 기억한다. 평일인데도 손님들이 많아서 대기 줄이 무척 길었다. 기다리는 시간이 30분 이상 될 것으로 보였다. 그렇게 10여 분을 기다리고 있는데, 뒤에서 "Sir!, Sir!" 하고 부르는 소리가 들렸다. 나와 상관없는 일로 생각하고, 앞만 보고 있었는데 그 소리가 다시 귀에 들어왔다. 그래서 뒤를 돌아보니 흑인 소녀 하나가 "Sir! No.10 is open!"이라고 하는 것이 아닌가. '10번이 열렸다고? 대체 10번이 뭐지?'라고 생각하면서 그냥 앞을 다시 바라보았다. 나에게 한 말이 아닌 것으로 생각했기 때문이었다.

그렇게 앞만 바라보고 있었는데, 뒤에서 자기들끼리 수군거리더니 다른 곳으로 이동하고 있었다. 그들을 자세히 보니 다른 계산대로 가고 있었고, 그 계산대에는 10번이라고 쓰여 있었다. 한 대 뒤통수를 맞은 기분이었다. 'No. 10 is open'이라는 문장은 모두 들렸지만, '점심시간 때문에 잠시 닫아 놓았던 10번 계산대가 다시 열렸으니, 나보고 그곳으로 가서 계산하라'는 의미였다는 것을 미처 파악하지 못했으니 말이다. 흑인 소녀는 나에게 말없이 갈 수도 있었지만, 앞자리에 있던 나를 배려한 것이었다. 그렇지만 나는 그 말의 맥락을 이해하지 못했다.

또 하나의 사례를 들어보자. 어느 날 출근하기 위해서 차에 시동을 걸었다. 아무리 시동을 걸어도 차는 꼼짝하지 않았다. 왜 시동이 걸리지 않는지 이것저것 점검하다가, 차에 휘발유가 다 떨어져 있는 것을 발견했다. 어쩔 수 없이 한국에서처럼 1.5 ℓ 플라스틱 콜라병 2개를 들고 30분을 걸어서 주유소에 도착했다. 주유소 종업원은 무슨 일인지 하고, 나를 빤히 쳐다보았다. 전후 사정을 설명하고 콜라병 2개에 휘발유를 채워달라고 했다. 지금도 난감해하던 그 종업원의 얼굴이 생생하다. 그는 휘발유를 팔지 못하겠다고 말했다. 왜 그런지 물어보니 위험해서 안 된다는 것이었다. 무엇이 위험하냐고 물어보았더니, 콜라병에 휘발유를 파는 것이 그렇단다. 급한 사정을 이야기해도 소용이 없었다. 그러면 어떻게 해야 하냐고 물어보니 대형할인점에 가면 '안전 휘발유 용기'가 있단다. 그곳에 가서 휘발유 용기를 가져와야만 휘발유를 팔 수 있다는 것이었다. 어쩔 수 없이 30분을 더 걸어서 대형할인점에서 휘발유 용기를 샀고, 어렵게 휘발유를 구할 수 있었다.

지금 생각해보면, 두 가지 사례 모두가 미국 사회에 대한 이해의 부족에서 벌어진 일이었다. 이는 세계에 대한 베이컨과 하이데거의 시각이 극명하게 다르다는 것을 보여주는 사례라고 할 수 있을 것이다. 베이컨에 따르면 세계라는 것은 개인의 주관과는 상관없이 물리적으로 존재하는 것들 그리고 그들의 총합이고, 하이데거에 의하면 세계라는 것은 개인을 둘러싸고 있는 환경들과의 관계 속에서 그들이 적절하게 행동할 수 있는 준거의 틀이기 때문이다.

하이데거가 말하는 세계란 다른 존재자를 만나게 해주며, 현존재를 세상에 활짝 열어주는 것이라고 할 수 있다. 그에 따르면 세계는 현존재의 활동공간으로서 의미를 가진다. 만약, 베이컨이 말한 것처럼 세계가 물리적인 것들의 총합이라면, 지구상에 존재하는 현존재에게 세계는 동일한 것이 될 수밖에 없다. 하지만, 우리는 안다. 코로나 팬더믹 초기에 마스크를 충실히 쓴 나라와 마스크를 쓰는 것에 대해 극렬하게 저항한 나라를 생각해보라. 이들 나라의 현존재들은 서로가 다른 세계에서 거주하고 있었다는 것을 알 수 있게 될 것이다. 하이데거는 이점에 주목해서 과학적 시각의 획일화된 세계와 구분해서 현존재가 거주하는 세계를 달리 정의한 것이다.

결론적으로 **세계는 현존재가 거주하는 장소이며, 현존재의 행위들이 의미가 있게 되는 공간**이라고 할 수 있다. **하이데거는 자신이 속한 장소와 공간이 씌워놓은 우산, 즉 세계를 이해해야만, 진정으로 세계 속에서 현존재로 거주할 수 있다고 본 것이다.** 하지만 세계에 대한 베이컨과 하이데거의 시각은 취사선택의 문제가 아니다. 베이컨의 과학철학이 보는 세계와 하이데거의 현존재가 거주하는 공간으로서의 세계는 바라보는 방향만 다를 뿐이다. 두 가지 시각을 병용해서 세상을 본다면, 오히려 세상을 더욱더 풍부하게 이해할 수 있으리라 생각한다. 이번에도 선택권은 독자 여러분께 드리겠다.

Epilogue 3. 세계(世界)에 대한 이해(理解)

 현존재가 활발하게 관계하는 세계를 파악했으니, 이제는 세계에 대한 **이해**理解가 무엇인지 살펴보도록 하자.

 개인적인 주말 일정을 예로 들어보겠다. 등산을 좋아해서 주말에 시간이 나는 대로 산을 찾곤 한다. 우선 등산을 위한 등산화와 등산지팡이를 준비하고, 자동차를 운전해서 가까운 산에 도착한다. 산에 오르기 전, 제일 먼저 하는 일은 등산로 안내판을 살펴보면서 코스를 정하는 일이다. 그 후에는 목표지점까지 산에 올랐다가, 다시 처음 출발했던 주차장에 도착한다. 여기까지는 평상시의 등산 일정이다. 한편, 자주 가는 산 아래쪽에 작은 미술관이 있어 새로운 전시회가 열리면 방문해서 작품을 감상하는 것도 잊지 않는다.

이처럼 산에 오르는 행위 하나에도 여러 가지 등산에 대한 이해라는 활동이 작용한다. 산에 올라본 사람들은 안다. 특히 가파른 산의 경우는 더욱더 그렇다. 주변에 있는 동산이라면 문제가 없겠지만, 조금 험한 산은 내려올 때 미끄러지기 쉽다. 그래서 나름 미끄럼 방지를 위한 등산화뿐 아니라 등산지팡이도 준비하게 된다. 자동차도 마찬가지다. 차량 작동법 및 교통법규에 대한 이해가 있어, 무리 없이 차를 운전할 수 있다. 또한 초중고 등 교육 과정에서 지도를 이해할 수 있는 능력을 배웠기 때문에 등산로도 쉽게 결정한다. 이러한 과정은 어려서부터 우리의 몸과 마음에 자연스럽게 체화되었기에 모든 결정을 마치 호흡하듯이 해낼 수 있는 것이다.

미술관에서 작품을 감상하는 것도 마찬가지다. 개인적으로 미술 작품을 접할 기회가 많았음에도 새로운 형식의 작품을 접할 때마다 당황스러운 것은 어쩔 수 없다. 이는 미술 작품에 대한 개인적인 이해 작용에 한계가 있기 때문일 것이다. 미술 작품에 대한 이해란 개인별로 다 다를 수밖에 없다. 같은 미술 작품을 감상하더라도 느끼는 점은 모두 다를 것이기 때문이다. 가령 흰 캔버스 위에 붉은 사과 하나가 그려진 그림이 있다고 생각해보자. 사과를 좋아하는 사람은 붉은 사과의 아름다움 속에서 향기로운 사과 향을 느낄 수도 있겠지만, 사과 알레르기가 있는 사람은 캔버스 위의 사과가 두려워서 멈칫할 수도 있다. 또한, 미술에 대한 조예가 깊은 사람은 붉은 사과 그림을 보면서 붉게 익을 때까지 사과의 변화 과정, 즉 계절의 변화와 땅속 생명의 지하수도 느낄 수 있을 것이다.

하지만 세계에 대한 이해를 과학적 시각으로만 본다면, 차원은 전혀 다른 방향으로 흐르게 된다. 즉, 캔버스 위의 사과 그림은 그냥 물질로 이루어진 것 외에는 아무것도 아니게 된다. 캔버스의 흰색은 그것의 바탕 재질이 가시광선을 모두 반사해 버린 결과고, 붉은 사과의 여러 가지 색깔이나 명암도 실은 가시광선의 반사 정도와 물감의 재질 등으로 인해 그렇게 보이는 것이다. 작품에서 반사된 빛이 눈의 망막으로 들어오고, 그 신호가 두뇌로 전달되어 그림으로 인식된다는 것이 과학적 시각이다. 이런 관점으로 본다면 걸작이라는 예술 작품은 아무 의미가 없는 것이 되고 만다. 왜냐하면 그 작품은 단지 여러 가지 재료와 빛의 작용 등

물리적 구성물의 조합일 뿐이기 때문이다.

그렇지만 우리는 예나 지금이나 미술 작품을 감상하고, 미술 시장도 형성되어 있으며 실제 거래도 이루어진다. 그러면 우리는 왜 과학적 시각에서 단지 물질에 불과한 미술 작품을 구매하는 것일까? 이를 하이데거가 말하는 세계에 대한 이해의 작용으로 설명할 수 있다. 하이데거는 세계에 대한 이해야말로 모든 행동의 기초가 되고, 이해한다는 것은 세계 안에 있는 존재자들의 방식에 우리가 맞춰나갈 수 있음을 의미한다고 한다. 다시 말해서 이해라는 것은 세계 속에서 이루어지는 활동들에 대한 친숙성親熟性이라고 할 수 있다. 세상을 살아가면서 우리가 자유롭게 행동할 수 있는 것도 이러한 친숙성 때문이다. 어려서부터 우리는 할 수 있는 것과 할 수 없는 것을 배워왔는데, 이것이 곧 이해의 과정이라 할 것이다.

하지만, 우리는 살아가면서 낯선 것 또한 만나게 된다. 낯선 문화에서 느끼는 당혹감, 낯선 언어에서 오는 혼란, 낯선 사람과 함께하는 어색함 등에서 보듯이 **낯설다는 것은 곧, 이해의 결여**缺

如를 **뜻한다.** 이렇듯 우리가 살아가는 세계에 대한 이해가 부족하다면, 우리는 부적응으로 인한 혼돈 속에서 살 수밖에 없을 것이다. 다만 이러한 이해의 작용에는 상대성이 있다는 것 또한 잊지 말아야만 한다. 최근 우리는 유튜브를 통해서 많은 정보를 습득한다. 하지만, 유튜브의 인공지능은 우리가 보고 싶은 것만 보여주는 시스템으로 구축되어 있다. 따라서 유튜브가 자동으로 제공하는 가짜 뉴스 등 특정 채널에만 매몰되다 보면 이해의 작용이 편향적으로 쌓이게 된다. 최근 편향적 이해 습득 작용으로 인해 극단적으로 분열된 우리 사회를 보면, 세계에 대한 균형 잡힌 이해가 얼마나 중요한지 잘 알 수 있다.

다시 말하지만, **우리 삶은 세계에 대한 이해의 연속**이라고 할 수 있다. 이는 곧 **우리가 이해하는 만큼 세상이 보인다**는 말이다. 그리고 이러한 이해는 기본적으로 상이성에 근거를 두고 있다는 점 또한 명심해야만 한다. 지구상에 사는 모든 사람의 이해는 같을 수가 없다. 물론 같은 문화권이나 같은 나라에서 살아간다면 세계에 대한 이해에 유사성은 있을 수 있다. 그렇지만, 절대로 같아질 수는 없는 것이다. 함께 거주하고 있는 가족끼리도 마찬가지다. 아버지와 어머니가 살아온 세계가 다르고, 나는 부모님뿐만 아니라 동생과도 다른 세계를 가지고 있다. 더 나아가 다른 나라에 사는 사람들의 세계에 대한 이해는 우리와 더욱더 다를 수밖에 없다는 점은 자명하다.

 우리 지구상에는 2020년 기준으로 78억 명이 살고 있다고 한다. 그러면 전 세계에는 78억 개의 이해들이 살아가고 있다는 말이 된다. 따라서 나의 세계에 대한 이해도 중요하지만, 다른 사람들의 이해도 중요하다는 것을 깊이 새겨 두어야 할 것이다. 우리 속담 중에 '아는 만큼 세상이 보인다'라는 말은 곧 이해하는 만큼 세상이 보인다는 말일 것이다. 우리가 세상에서 소외되지 않고, 주체성을 가지고 살아가기 위해서는 이해의 폭을 넓혀야 하는 이유가 여기에 있다.

Epilogue 4. 진리(眞理)

현존재의 세계에 대한 이해를 바탕으로 진리-내-존재의 진리
개념을 파악해 보도록 하자.

빈센트 반 고흐 〈구두〉

『**예술 작품의 근원**』이라는 책에서 **하이데거는 예술의 본질에 관
해 설명**하기 위하여 **고흐가 그린 〈구두〉**를 예로 들고 있다. 하이데

거는 고흐의 〈구두〉 그림을 보면서 아래와 같이 설명한다.

닳아버린 신발의 안쪽으로부터 노동의 힘겨움을 볼 수 있다. 신발의 커다란 무게 속에는, 거친 바람과 밭고랑 사이를 힘겹게 걸어가는 단단함이 들어 있다. 신발의 표면에는 대지의 축축함과 풍요로움이 어려 있다. 저녁 즈음 들길의 고요함이 신발 바닥 아래 자리 잡는다. 대지의 침묵 속에서의 불러냄, 잘 익은 곡식을 조용히 내어줌과 겨울 평야의 쓸쓸한 농경지에서 말로 표현하기 힘든 대지의 물리침이 신발 속에서 떨리고 있다. 또한 빵을 걱정 없이 확보한 데에 따른 안심과 가난함을 떨쳐 내버린 침묵 속의 기쁨이 신발에 머물고 있다. 대지에 이러한 신발이 속해 있고, 농민의 세계 안에 신발이 보존되어 있다.

고흐는 대표적인 인상파 화가다. 따라서 미술사적으로는 고흐 그림을 인상파의 '빛'이라는 시각으로 해석할 수 있을 것이다. 그러나 하이데거는 자신만의 존재 철학으로 고흐의 〈구두〉라는 작품을 해석한다. 하이데거는 고흐의 구두가 구두 주인의 삶의 흔적을 잘 묘사하고 있다고 보았다. 그는 이 그림에서 구두가 사물이라는 시각이 아니라, 어떤 이의 발에 신겨져 있는 구두, 즉 신발의 역할에서 존재 자체가 드러난다고 보았다.

하이데거는 구두 주인을 어느 농부의 아내로 생각했고, 이 그림은 힘들지만 소박한 농촌의 삶을 그려낸 것으로 본 것이다. 후대의 연구에 따르면 고흐는 농부의 구두가 아니라 도시 노동자의 신발을 그린 것이라고 한다. 하지만 고흐의 원래 의도와는 달랐다고 해서, 〈구두〉에서 힘겨운 농부의 삶과 그 속의 작고 소박한 희망을 그린 것이라는 하이데거의 해석이 무의미해지는 것일까?

그렇지 않다고 본다. 미술 작품에 대한 해석은 경향성이나 답이 정해져 있는 것은 아니다. 미술 작품을 감상하는 사람의 수만큼이나 해석은 다양할 수 있다는 말이다. 따라서 고흐의 〈구두〉가 구두라는 사물을 사실적으로 드러낸 것이 아니라, 그 구두를 통해 농부의 삶의 흔적을 드러냈다는 식으로 해석한 하이데거의 의도는 분명히 존중되어야 한다. **하이데거는 예술작품에 대해 어떤 대상을 사실적으로, 똑같이 그려낸 것으로 받아들이지 않고, 예술 작품을 통하여 존재의 '진리'가 환하게 드러나는 것으로 보았다.**

그러면 하이데거의 진리라는 개념은 일반적인 진리 개념과 어떻게 다른 것일까? 아리스토텔레스 이후 근대 주류 철학뿐만 아니라 현대 과학철학까지의 진리 개념은 '진술眞術이나 신념信念 즉, 지성智城이 사물과 일치되어야 하는 것'으로 보았다. 예를 들어 '돌멩이는 단단하다', '쇠는 차갑다' 등과 같이 진술이나 신념 즉, 지성이 사물의 존재 방식과 일치할 경우를 진리의 참된 형태라고 본 것이다. 하이데거도 이러한 상식적이고 과학적인 진리의 개념을 부정하지는 않는다. 다만, 그는 진술이나 신념 즉 지성과 사물의 일치만이 유일무이한 진리의 형태라는 생각을 부인할 뿐이다.

잠시 생각해 보자. 공원에 벤치가 있다. 주류 철학의 진리 개념에서 보면 '공원의 벤치는 매끈한 나무로 이루어져 있다', '벤치는 빛의 반사 작용으로 우리 눈에 나무 색깔로 보인다', '벤치를 구성하는 나무는 탄소와 산소 등 여러 유기화합물로 구성되어 있다' 등으로 설명될 수 있다. 모두 맞는 말이다. 이러한 개념을 바탕으로 우리가 살아가는 시대의 과학이 발전한 것도 사실이다.

하지만 과연 공원에 있는 벤치가 매끈하다는 것, 공원 벤치가 나무 색깔이라는 것, 공원 벤치가 유기화합물로 구성되어 있다는 것만이 진리일까? 인간 외의 다른 동물들의 시각에선 달라질 수 있다는 것을 알아야만 한다. 어떤 동물에게는 벤치가 매끈하지 않을 수도 있고, 색깔도 달리 보일 수 있다. 또한, 벤치를 구성하는 물질에는 유기화합물 외에 우리가 알지 못하는 성분이 있을 수도 있다.

하이데거는 이러한 점을 고려해 진리를 좀 더 열린 개념으로 파악한다. 그는 **일반적인 진리 개념을 인정**하면서, 진리가 **존재자를 '탈은폐**脫隱蔽**'하거나 환하게 드러내는 것까지 포함한다**고 본다. 여기에서 '탈은폐'란 존재자의 존재 방식을 밝힌다는 뜻이다. 다시 위에서 말한 공원 벤치를 살펴보자. 하이데거는 공원 벤치가 주류 철학이 분석하는 과학적 방식으로 존재함을 부인하지는 않지만, 벤치가 벤치로서 가장 잘 나타나는 것은 사람이 그 벤치에 앉을 때라고 본다. 그는 벤치에 대해서 다양한 방식으로 설명하기보다는 사람이 그곳에 앉는 행동으로 벤치를 설명하는 것이 벤치의 가장 확실한 '진리'를 보여준다고 이해한다. 이렇게 볼 때 하이데거의 진리 개념은 일반적인 진리 개념보다 확장된다.

결론적으로 하이데거의 진리 개념은 **'망각 속에 숨겨진 존재를 밝혀내는 것'**이라고 할 수 있다. 물론 이 경우에도 과학적인 진리 개념은 당연하다는 전제하에서 진리 개념을 확장한 것으로 보아야 할 것이다. 우리는 흔히 참과 그름의 개념으로 진리 개념을 파악하곤 한다. 물론 이것이 틀린 말은 아니지만, '존재자가 존재자로 열려있다'는 것까지 진리로 본다면 진리 개념은 더욱 풍부해질 것이다. 가령 벤치는 '앉을 수 있는 도구'로 열려있기 때문에, 참된 사람은 '스스로 인간다운 본성을 보여주는 것'으로 열려있기 때문에, 진리-내-존재로 있는 것이다. 하지만, 그릇된 사람은 인간다운 본성을 보여주는 것이 아니라 자신의 본성을 숨기는 형태로 살아가기 때문에 비진리로 존재한다고 볼 수 있다.

따라서 하이데거의 진리 개념은 모든 사물이 그 사물의 목적에 맞게 열려있느냐는 질문으로 귀결된다. 이 관점에서 세상에 존재하는 모든 사물은 진리로 존재할 수도, 비진리로 존재할 수도 있다. 이는 옳고 그름의 문제가 아니다. 다만 본성대로 열려있느냐가 진리와 비진리를 가르는 기준이라는 것만 염두에 두고 진리 개념을 다시 한번 숙고해보았으면 한다.

Epilogue 5. 사방세계(四坊世界)

  하이데거의 사방세계를 이해한다면, 하이데거가 추구하는 철학이 어디를 향하고 있는지 파악할 수 있을 것이다.

  하이데거는 인간은 사방세계 안에 거주하고 있다고 단언한다. 여기에서 거주한다는 것은 우리가 일상적으로 숙식을 해결하면서 살아가는 거주지를 말하는 것이 아니다. 우리는 흔히 집을 그저 가족이 머무는 장소, 재테크를 위한 일시적 장소, 언제든지 필요하면 떠날 수 있는 장소 등으로 인식한다. 그렇지만 하이데거는 일정한 장소에 일상적으로 머무는 방식이 아니라, 은닉되고 망각되어 있는 본질적 의미를 찾아내는 것을 거주라고 본다. 우리가 거주하고 있는 곳은 그저 삶의 방편으로서의 장소가 아니라는 말이다. **우리는 그곳에서 하늘을 영접하고, 땅의 기운을 받으면서, 나 아닌 다른 사람들과 교섭하면서, 열린 터전을 가꾸어 나간다는**

것이다. 그리고 그 거주하는 곳이 곧 나를 규정하는 장소가 된다.

다음으로 하이데거가 말하는 거주 방식으로서의 사방세계는 반드시 죽을 자로서의 인간이 하늘 아래서 땅의 기운을 받으면서, 신적인 것들과 사중四中의 관계를 맺으면서 살아감을 의미한다. 즉 사방세계란 인간과 하늘, 땅 그리고 신적인 존재들이 서로 보살피고, 서로 교섭하면서 살아가는 관계인 것이다. 언뜻 보면 종교적 색채가 느껴진다고 하는 사람들도 있을 것이다. 그러나 자세히 살펴보면 하이데거의 사방세계에 종교적 시각은 전혀 없으며, 오히려 우리의 현실적 삶을 더욱 풍족하게 해주는 사상임을 알게 될 것이다. 그러면 하이데거가 말하는 사방세계의 네 측면을 하나씩 살펴보자.

첫째, 우리 인간은 땅 위에 거주하는 존재다.
하이데거는 '죽을 운명을 가진 인간은 땅을 구원하는 한에서 거주한다'라고 말한다. 여기에서 땅은 우리가 발을 딛고 있는 대지를 말하는 것이고, 구원한다는 것은 땅이 땅 자신으로 존재하도록 배려하는 마음가짐을 뜻한다. 다시 말해서 땅을 땅답게 배려

하고 보살피는 것이 우리 인간의 운명이라는 것이다. 하지만 현실은 어떠한가. 현대를 살아가는 인간은 땅을 생명의 근원으로 보지 않고 있다. 그저 우리에게 자원을 제공하는 창고쯤으로 치부한다는 말이다. 하이데거는 인간은 근원적으로 땅에서 나왔고, 인간의 생명을 보존하고 유지해 주는 것도 땅이라고 본다. 우리의 생명은 땅에 의존하고 살 수밖에 없으니 당연한 말인데, 지금 우리는 땅을 자원 채굴의 대상으로만 본다. 지하자원을 캐내기 위한 채탄장探炭場, 쓰레기를 묻기 위한 투기장, 동굴을 뚫기 위한 장애물 등으로 땅을 대하면서 대지를 들들 볶는다고도 할 수 있다.

하이데거의 시각에 따르면 우리는 땅 즉, 대지를 이용의 대상이 아니라 체류를 위한 장소로 보아야 한다. 산업사회에 들어서기 전 단계를 살펴보면, 인간의 삶에서 땅은 늘 존중의 대상이었다. 작물 재배를 통해 땅의 기운을 섭취하며 살 수밖에 없었기 때문에, 대지는 곧 어머니와 같은 존재였다. 하지만 산업사회가 도래하면서 그 신성함과 존귀함은 사라져버리고 땅은 인간이 마음대로 다뤄도 되는 대상으로 전락하게 되었다. 그러면 지금 세상이 과연 과거보다 좋아졌을까. 땅을 들들 볶는 산업화로 인한 미세먼지, 악취, 코로나와 같은 치명적인 바이러스 창궐, 점점 강도가 세지는 기후변화 등을 생각하면 땅을 대하는 우리 시각을 이제는 바꿔야만 한다. 언젠가 우리는 죽을 수밖에 없고, 죽으면 어머니인 땅으로 돌아가기 마련이다. 이제는 땅의 소중함을 다시 일깨워야 한다. 어머니인 땅의 은닉된 본성을 깨닫고, 그 땅의 신성함을 간직함과 동시에 땅의 소중함을 가슴속 깊이 간직하자.

둘째, 우리는 하늘을 영접하면서 살아가는 존재이다.

우리 죽을 자들이 하늘을 영접한다는 것은 하늘의 기운을 받아들이고, 그 순리에 따르며 사는 것을 말한다. 여기에서의 하늘은 우리가 일반적으로 말하는 천문학적인 천체나 물리적으로 보는 하늘을 말하는 것이 아니다. 영접해야 하는 하늘은 낮의 태양이 주는 생명과 휴식을 주는 밤, 사계절이 순환하는 변화, 시시각각 바뀌는 기상 현상 등을 모두 포함한다. 우리뿐 아니라 땅 위에 존재하는 모든 생물은 이러한 하늘 아래서 생명을 유지해나간다. 또한 하늘은 예전부터 인간의 상상력을 자극하는 한편, 숱한 창조성의 원천이기도 했다. 첨단과학으로 무장한 요즘 사람들은 기상 현상을 통제하고, 밤을 낮으로 바꾸는 작업을 끝없이 시도하지만 늘 하늘의 위대함 앞에 무릎을 꿇고 만다. 땅과 연결된 하늘은 우리의 생명과 정신을 보존해 주는 터전이다. 따라서 우리 죽을 자들 또한 하늘을 영접하고 보존하는 한에서만 신성한 삶을 지속할 것이다.

셋째, 우리는 신적인 것들 앞에서 거주하는 존재이다.

여기에서 신적인 것은 우리가 흔히 말하는 종교적인 신이 아니다. 역사적으로 생각해 보면 근대 과학기술 사회가 도래하기 전까지는 우리의 삶에 신적인 신성함이 늘 함께 해왔다. 우리나라의 단군신화, 유럽의 그리스·로마 신화를 보더라도 삶의 한 편에는 신성함을 간직한 신적인 것이 우리의 가슴을 채우고 있었다. 하지만 모든 것을 과학적으로 해석하면서부터, 삶에 존재해 오던 신성함을 모두 몰아내고 말았다. 과학기술을 통하여 삶의 편리함과 풍족함은 얻었을지 몰라도, 삶의 가장 중요한 요소인 신성함을 **빼앗겼다**는 사실을 우리는 반추하지 못하고 있다. 우리 죽을 자들은 신적인 신성함을 늘 기다리면서 살아가야 하는 존재이다. 물론 이 기다림이 숭배로 변해서는 안 되겠지만, 신적인 신성함을 간직한 삶이 주는 정신적 풍요로움은 잊지 말자. 다시 말하지만, 신적인 존재가 주는 신성함을 성스러운 것으로 받아들이고 신성의 열린 장을 개척하는 삶이 주는 행복을 늘 생각하며 살아가자.

넷째, 우리는 죽을 자로 존재한다.

지구상에 살아가는 각종 생명체 중에서 오직 인간만이 자신이 언젠가는 죽을 수밖에 없음을 알고 있다. 인간을 제외한 식물이나 동물들은 죽음에 대한 숙고 없이, 순간순간을 그저 살아갈 뿐이다. 인간의 죽음은 곧 무無로 돌아감을 뜻한다. 보통의 인간은 자기 죽음을 남의 일로 생각한다. 그래서 매 순간이 투쟁의 연속이며, 늘 부족함만 탓하며 살아간다. 이러한 삶에는 행복이라는 단어가 자리하기 힘들다. 인간은 죽을 자이다. 그리고 이보다 더 확실한 것은 우리의 삶에 존재하지 않는다. 이런 관점에서, 죽음으로 미리 가보려는 노력은 삶의 가장 개방적인 태도라고도 할 수 있을 것이다. 지금부터라도 죽음과 대화하며 살아가 보자. 죽음의 본질을 통해 삶의 본질도 깨달을 수 있을 것이다.

살펴본 바와 같이 우리 죽을 자는 **사방세계 안에 거주한다. 땅을 구원하는 중에, 하늘을 영접하는 중에, 신적인 것을 기다리는 중에, 죽을 자들을 인도하는 중에 거주하는 네 겹은 서로 영향을 주고받으면서 삶의 진정한 의미를 깨닫게 해준다.** 이러한 삶이야말로 하이데거가 지향하는 진정한 삶이라고 할 것이다. 그리고 '진정한 삶'을 살다 보면 과학기술 지상주의 속에서 잃어버린 참 자아를 찾게 될 뿐 아니라, 전 지구적 측면에서도 잃어버린 정신적 공허함이나 허무함을 극복할 수 있을 것이라 확신한다.

철학을 만나 오늘도 잘 살았습니다

2021년 12월 15일 초판 1쇄 발행
2022년 1월 2일 초판 2쇄 인쇄

지은이 | 은파 (김인태)

책임편집 | 송세아
편집 | 이혜리, 안소라
제작 | theambitious factory
인쇄 | 아레스트

펴낸이 | 이장우
펴낸곳 | 꿈공장 플러스
출판등록 | 제 406-2017-000160호
주소 | 서울시 성북구 보국문로 16가길 43-20 꿈공장1층
전화 | 010-4679-2734
팩스 | 031-624-4527
이메일 | ceo@dreambooks.kr
홈페이지 | www.dreambooks.kr
인스타그램 | @dreambooks.ceo

ISBN | 979-11-89129-99-6

정 가 | 13,000원